D1020967

El Abencerraje

Letras Hispánicas

El Abencerraje
(Novela y romancero)

Edición de Francisco López Estrada

DECIMONOVENA EDICIÓN

CÁTEDRA
LETRAS HISPÁNICAS

1.ª edición, 1980
19.ª edición, 2014

Ilustración de cubierta: Mauro Cáceres

© Ediciones Cátedra (Grupo Anaya, S. A.), 1980, 2014
Juan Ignacio Luca de Tena, 15. 28027 Madrid
Depósito legal: M. 29.076-2011
ISBN: 978-84-376-0238-7
Printed in Spain

Índice

Introducción

*En memoria
de Eduardo M. Wilson,
el penúltimo romántico inglés que supo
enlazar cordialmente su Cambridge umbroso
y la Andalucía del* Abencerraje.

I
El Abencerraje como novela

El enigma textual del «Abencerraje»

El *Abencerraje* es una obra capital de la Literatura española en los Siglos de Oro de la que poseemos varios textos con diferentes versiones; el *Lazarillo,* obra aproximadamente de la misma época, también tiene su problema textual, como interpolaciones, si bien sus variantes son menos acusadas. Con una diferencia de poco tiempo, una misma «materia» literaria se encuentra puesta de manifiesto en diversos textos. Una relación de los mismos, establecida por el orden de las fechas de su aparición, es la siguiente[1]:

1. *Edición Chrónica,* 1561 y *Corónica,* s. a. El 12 de octubre de este año, en casa de Miguel Ferrer, impresor de Toledo, se acabó de imprimir una edición del *Abencerraje;* el ejemplar conservado está falto de los preliminares y del folio primero. Un texto paralelo, muy semejante, con ligeras variantes, aparece en otra edición, de la que se conserva un solo ejemplar

---

[1] Véase la Bibliografía al final de la Introducción en donde se ofrecen los datos bibliográficos sobre estas diferentes versiones; cuando en las próximas notas cito un libro o un artículo que está contenido en la Bibliografía, menciono sólo el nombre del autor y el año de la publicación.

incompleto. Ambos libros se han de considerar como de la misma familia de textos, impresa en dos ocasiones.

2. Edición *Diana,* 1562. En la edición de la *Diana,* de Jorge de Montemayor, impresa en Valladolid, 1562, según el colofón (y 1561, según la portada), por Fernández de Córdoba, se intercala un relato sobre el *Abencerraje* en el fin del libro o parte VI de la obra, reelaborado para su integración en el curso del libro pastoril.

3. Edición *Inventario,* 1565. Antonio Villegas, en el libro misceláneo *Inventario,* impreso en Medina del Campo por Francisco del Canto, publica otra versión; dice el autor que ya en 1551 tenía solicitada licencia, y se ignora si entonces se incluía el *Abencerraje.*

4. Manuscrito *Historia del moro* (?). A fines del siglo XVI o comienzos del XVII se copia una versión muy reducida del asunto.

Esta edición que ofrezco aquí se basa en la versión del *Inventario,* 1565. La existencia de una situación textual como la mencionada testimonia que un contenido como el de este libro pudo ser elaborado por el mismo autor (y luego por otros que modifican a su vez la obra); la difusión por medio de la imprenta puede, a su vez, reelaborar un texto en diferentes grados[2]. Aquí nos toca indicar sólo muy brevemente las circunstancias que rodearon esta salida del *Abencerraje* a la difusión pública. Las ediciones *Chrónica,* 1561 y *Corónica,* s. a. fueron de cortos vuelos; probablemente se imprimieron de ellas pocos ejemplares, y se hizo utilizando una letrería gótica que hacia 1560 sólo se usaba en imprentas modestas y para un formato pequeño. Las ediciones *Corónica,* s. a. y *Chrónica,* 1561 (contando con sus variantes) se complementan, pues la primera tiene encabezamiento pero sólo llega hasta el folio c ij, y la segunda

    [2] Véase la complejidad de los factores que intervienen en una edición en Jaime Moll, «Problemas bibliográficos del libro del Siglo de Oro», *Boletín de la Real Academia Española,* 59 (1979), págs. 49-107.

está falta del folio j. Dando validez al término de *Corónica* para una y otra impresión, el comienzo del librillo se asemeja al de algunos libros de caballerías que también usan el título de *Crónicas* para sus ficciones.

El impresor de una y otra versión quiso que, aun contando con las proporciones modestas de la obra, la publicación se acercase de algún modo a estos libros de caballerías, y por eso puso en cabeza ese título equívoco: *Parte de la Corónica del ínclito Infante don Fernando, que ganó a Antequera*[3]. Lo de *Parte de ...* se justifica por la poca extensión del impreso, y la identificación de don Fernando, el que ganó Antequera para la Castilla cristiana, hace que el librillo parezca como *parte* de una Crónica real de la época en que ocurrió el suceso de la toma de la entonces villa fronteriza; esta toma se relata en la que se conoce como *Crónica de Juan II*, de Alvar García de Santa María y sus refundiciones[4], pero no se halla en ella lo que se cuenta en este *Abencerraje*. Las apariencias de la reunión de la Crónica y de los libros de caballerías crecen con el grabado de dos caballeros que luchan y con el resumen que se hace del contenido de la obrilla en el epígrafe titular que rodea a la mención de *Crónica*. Esta es la presentación que los impresores dan a estos libros, y significa que su propósito es que los lectores

---

[3] Era frecuente que en los títulos de las obras de ficción apareciese la mención de *Crónica*, como puede verse en la *Bibliografía de la Literatura Hispánica* de José Simón Díaz (Madrid, CSIC, 1965, III), tanto en los de fecha temprana como tardía. Son ejemplos el caso de *La crónica de los muy valientes y esforçados e inuencibles caualleros don Florisel de Niquea y el fuerte Anaxartes...* (Valladolid, Juan de Espinosa, librero, y Nicolás Tierri, impresor, 1532), que se repite como *La Corónica* (en Sevilla, Cromberger, 1546; Lisboa, 1566; Zaragoza, 1568; y Zaragoza, 1584; núms. 6637-6642 de la mencionada *Bibliografía*).

[4] Aislé la parte de la toma de Antequera de la Crónica de Juan II en mi libro *La Toma de Antequera. Textos de Ben Al-Jatib, Fernán Pérez de Guzmán, Fernando del Pulgar, Alvar García de Santa María y Ghillebert de Lannoy,* Antequera, Biblioteca Antequerana, 1964.

crean que el *Abencerraje* es una obra de ficción que pudiera haber sido realidad; es decir, que, frente a la invención de los libros de caballerías que busca en la desmesura de los hechos la aprobación del lector, este librillo inventará una narración dentro de unos límites tan creíbles que pudieran haber sido históricos en su apariencia novelesca.

Las ediciones de la *Diana* y del *Inventario* son de otro orden: el *Abencerraje* pasa a ser parte integrada en un conjunto, coherente en el caso de la *Diana;* y se junta en el *Inventario* con la diversidad de un Cancionero que acoge prosa y verso. Tanto en el uno como en el otro caso la intervención del impresor es de otro orden: en la *Diana,* a mi juicio, quiso dar novedad a otra edición más de un libro de éxito editorial que trajese algo más que las otras en la impresión de la obra, fuese el texto añadido remodelación de Montemayor o de otro autor[5]; en el *Inventario* hubo también remodelación, pero en un contexto menos dependiente que en el caso anterior. Además el autor en este caso añadió un prólogo, congruente con su interpretación del conjunto del relato. La innovación de la *Diana* hizo fortuna y el libro de pastores siguió apareciendo con el añadido, y esto aseguró una gran difusión al relato del *Abencerraje,* tanto entre el público español como entre el de las lenguas europeas que lo tradujeron. En este caso la pieza no puede separarse de la *Diana,* porque ambas están conformadas dentro de una misma situación espiritual. El manuscrito *Historia del moro* es un texto muy reducido, más bien cuento o relato breve que, según M. S. Carrasco[6], puede representar una fase de la elaboración de una anécdota primitiva.

---

[5] Véase José Navarro Gómez, «El autor de la versión del *Abencerraje* contenida en la Diana, ¿era Montemayor?», *Revista de Literatura,* 39 (1978), págs. 101-104, que refuerza la opinión de que el autor de la adición sea el mismo Montemayor. De la misma opinión es E. Fosalba (1990), pág. 105.

[6] M. S. Carrasco, 1968, pág. 252.

Nos queda, pues, la versión del *Inventario,* 1565; esta edición, desde el punto de vista bibliográfico, se nos ofrece como una obra más cuidada que las precedentes. El libro que la contiene presenta todos los requisitos legales que su autor, Antonio de Villegas, había solicitado para el mismo. La impresión editorial es cuidada, hecha en una bonita letra romana, de una manera pulcra, en el tamaño de folio menor. Constituye, pues, una obra propia para las librerías de los hidalgos aficionados a la poesía de la época; reúne poesía cancioneril e italianizante, relatos en prosa de las especies sentimental (una narración de índole pastoril, titulada *Ausencia y soledad de amor)* y caballeresca (pues a ella puede adscribirse esta otra narración del *Abencerraje,* si bien en forma novelesca).

Las tres familias de textos poseen un contorno sociológico determinado: la compuesta por la *Chrónica,* 1561 y *Corónica,* s. a., con una dedicatoria a don Jerónimo de Embún, señor de Bárboles, lugar de moriscos, ofrece una versión radicada en Aragón, de gustos arcaizantes, en un castellano con leves vacilaciones vulgares, y un estilo que tiende al uso de las formas dobles, a la manera de Antonio de Guevara, y a la aparatosidad retórica consecuente. El relato se establece bajo la sombra de una «Crónica», con una tendencia a la evocación de las situaciones reales y a la descripción minuciosa. En conjunto, posee evidentemente un cierto encanto «primitivo», propio para su lectura ante un público sencillo, al que agrada la evocación de una realidad vivida.

La versión de la *Diana,* 1562, aparece en un libro cuya intención poética resulta dominante para orientar la versión del relato; la literatura pastoril en prosa ya manifiesta una gran capacidad absorbente de cualesquiera argumentos. La anécdota, por tanto, se vierte al aire pastoril; se cuenta en una reunión de damas y pastores, y domina el tono de elegancia formal y espiritual del conjunto.

En cuanto a la versión del *Inventario,* 1565, tenemos que existe un autor declarado para el libro en conjunto, y el *Abencerraje* posee un valor propio e independiente dentro de la miscelánea en que aparece. Queda, sin embargo, el marco del conjunto que actúa de una manera armonizadora: el autor ha creado una variada obra en verso y en prosa que lo sitúa dentro de la corriente de la literatura de los hidalgos de la época. La dedicatoria a Felipe II señala la condición del libro; cualquiera que haya sido el grado de elaboración de la materia argumental, esta posee una determinación de orden artístico precisa. La versión de Villegas resulta ser la más lograda desde el punto de vista de la creación literaria. Para establecer ese juicio, nos apoyamos en los siguientes factores que se reúnen coordinada y armónicamente en la obra de Villegas: el desarrollo ordenado de los elementos que se junta en la narración; su combinación en una estructura unitaria, contando con el añadido del cuento de la honra del marido; la reunión de tres especies de exposición de orden literario, como son la narración impersonal de un autor, el uso extenso del relato en primera persona y la intercalación de epístolas (o cartas mensajeras en este caso) que corroboran desde otra perspectiva literaria el relato; el estilo pulido y elaborado con el arte de la conveniente retórica, cortés, pero directo y sin audacias cultas que demoren el fin del relato; el curso, siempre conveniente a la situación narrada, unas veces apresurado y otras lento, según la ocasión; audaz cuando así resulta necesario, y de gran delicadeza espiritual, de talante lírico a veces, y con apuntes de una filosofía estoica, otras. La versión de Villegas representa una reunión de aciertos parciales que convierten a su conjunto en un evidente acierto artístico desde el punto de vista de su elaboración literaria; todo en ese conjunto conviene con lo que ha de ser la novela. Como se observará en el curso del prólogo y en las notas, aplico con decisión el indicativo de *novela* para la obra. Me parece uno de los logros iniciales de la literatura española para orientar lo que luego ha de ser la novela moderna, a partir del *Quijote;* el *Abencerraje* se relaciona con la *novella* italiana y conecta con la invención de los libros de caballerías de apariencias cronísticas. Su radicación en Andalucía, su situación en un tiempo que los lectores podían considerar como el de su propia historia, la conversión de posibles personas de la realidad en personajes, el sentido de humanidad que se desprende de su acción y la limitación de recursos de la ficción convierten la obra en experiencia inicial de la moderna novela histórica (del grupo morisco, sobre todo), y aún, dejándola con menos adjetivación, de la novela moderna. Para apreciar en su grado más alto la obra de creación literaria que es el *Abencerraje,* ha de acudirse al libro de Villegas, cuyo texto ilustra cumplidamente uno de los aspectos que mejor caracterizan un aspecto del espíritu del Renacimiento español, sin que esto sea quitar su propio valor a cada una de las otras versiones que ofrecen también por sí mismas su propia trascendencia matizada.

Fortuna literaria del «Abencerraje»

Los datos expuestos anteriormente indican que el *Abencerraje,* por medio de estas distintas versiones y del Romancero (al que luego nos referiremos), obtuvo una notable fortuna literaria, y sus tres personajes fundamentales, Rodrigo de Narváez, Abindarráez y Jarifa, llegaron a gozar de una cierta popularidad. Cervantes conoció por lo menos la versión de la *Diana,* y no vaciló en que un héroe literario de la raíz española de su don Quijote, en el episodio de la vuelta a la aldea después de la primera salida del lugar de la Mancha (Parte I, capítulo V), se sintiese transfigurado en el moro Abindarráez, y que su Dulcinea pudiera ser Jarifa. Cervantes se había valido para la urdimbre de su libro de los diferentes géneros literarios; y lo hizo de manera que el lector del *Quijote* los pudiese identificar con una relativa facilidad. Al verificar esta transferencia de la personalidad de su imaginado e imaginativo hidalgo, loco de tanto leer libros, al del héroe moro Abindarráez, reconoce que el *Abencerraje* es una de las obras más conocidas y bien consideradas en su tiempo; y por eso don Quijote puede, sin menoscabo de su personalidad caballeresca, responder al labrador que lo llevaba a la aldea con «las mesmas palabras y razones que el cautivo abencerraje respondía a Rodrigo de Narváez...». Su declarada condición de hidalgo español no se sintió menospreciada por sentirse representado por el moro literario. Conviene, sin embargo, contar con que, en la situación que Cervantes narra, junto a la valoración ennoblecedora del hidalgo se encuentra la limpia percepción de la realidad de los hechos que establece el labrador, al que lo que dice don Quijote le parece una «máquina de necedades» y motivo suficiente como para tener por *loco* a su vecino. Como dice con acierto I. Burshatin[7], la *maurofilia* que implica la arenga de don Quijote-Abindarráez se vuelve en *maurofolia* literaria. En esto, como en tantos casos, Cervantes enriquece la pluralidad de los puntos de vista de los protagonistas en el curso de la misma narración.

Lope de Vega adaptó para la comedia española el argumento del *Abencerraje,* tomándolo sobre todo de la versión de la *Diana;* él declara que lo hizo en sus «tiernos años». Es probable que la comedia *Abindarráez y Narváez,* citada en la relación de comedias que figura al final de *El peregrino en su patria* (1604), sea la misma que, luego retocada se titula *El remedio en la desdicha,* publicada en la *Trezena Parte...* de su obra (1620) y cuya redacción inicial procedería de entre los años 1596 y 1602. Dedicó la comedia a su hija Marcela del Carpio que poco después (1622) se entró monja en las Trinitarias descalzas; y esto prueba que Lope halló la obra adecuada para dirigirla a una joven doncella, para él tan entrañable, en vísperas de tomar el velo.

---

[7] I. Burshatin, 1984, pág. 211.

Un italiano, Francisco Balbi de Correggio, hizo un gran esfuerzo literario al extender la brevedad del *Abencerraje* novelado hasta alcanzar los diez cantos de un poema épico, *Historia de los amores del valeroso Abinde Aráez...* (Milán, 1593). Aunque la obra no es de gran valor poético, dio carta de naturaleza al *Abencerraje* en la épica culta, de validez universal, y, por tanto, contribuyó a su difusión por los países de Europa, en los que se leía abundantemente la *Diana,* en español o traducida, con el *Abencerraje* en su versión pastoril. Algunos escritores italianos (Celio Malespini, 1609; Anton Giulio Brignole Sale, 1640-1641) la vertieron a su lengua con más o menos libertad atendiendo a su condición novelística. La literatura de la Corte de Francia acogió el exotismo morisco y aprovechó el preciosismo espiritual que llevaba consigo para el galanteo y las intrigas del amor cortesano.

En el periodo perrómantico hay huellas del *Abencerraje,* resumido en 1775, y con ecos en el *Gonzalve de Cordoue,* de Florian (1791). El Romanticismo acogió con gran calor poético el *Abencerraje* y las *Guerras Civiles de Granada* por el sentido de adivinación romántica que poseían. En efecto, la literatura creadora del Romanticismo y la crítica aneja buscaron en el pasado de la Historia los ambientes que se consideraron como *románticos,* cualesquiera que hubiesen sido la época y el lugar en que se hubiesen dado. El último siglo de la Reconquista en España, con las luchas entre moros y cristianos, y las guerras y banderías interiores del cada vez más reducido reino árabe, con las escenas de traición y de generosidad, de crueldad y de nobleza, fueron materia literaria de la que abundantemente echaron mano los escritores de la tendencia romántica. Así ocurre con *Les Aventures du dernier Abencérage* (1826), de Chateaubriand, la obra más representativa de esta corriente literaria. Por otra parte, al lado de la ensoñación literaria sobre los libros, los primeros turistas románticos visitaron la Granada real y completaban con el relato de sus impresiones personales el triunfo de una Andalucía llena de color (Washington Irving, *Tales of Alhambra,* visita del verano de 1829; Thomas Roscoe, *The Tourist in Spain,* 1835, etc.). Estos escritores y viajeros no inventaron ninguna novedad, pues en la versión de la *Diana* ya se dice que el suceso de Narváez y el abencerraje se considera como propio de la «provincia de Vandalia», esto es, de Andalucía.

Al mismo tiempo que los abencerrajes se incorporaban a las imaginaciones románticas, la erudición y la crítica del siglo xix establecieron otra vez en España el enlace con las versiones primeras del *Abencerraje.* En 1821 se añade la versión *Historia del moro* como apéndice de la *Historia de la dominación de los árabes en España,* de José Antonio Conde; en 1841 aparece la misma otra vez en la revista *El Bibliotecario,* en su primer número, representada como una obra «en aljamía». En 1845 apareció el texto de Villegas en la revista *El Siglo Pintoresco* (I) y desde entonces la obra se incorpora a las grandes colecciones de novelas de los Siglos de Oro que se publican en la época *(Tesoro...,* de Eugenio de Ochoa, 1847; *Biblioteca de Autores Españoles,* III, 1846, etc.). La difusión de los textos quedó así asegurada: *la Diana,* de Montemayor, había seguido imprimiéndose junto con el *Abencerraje* pastoril; la obra de Villegas, *Inventario,* atrajo también la curiosidad de bibliófilos y de críticos, y en 1955-1956 la edité en la colección de «Joyas bibliográficas»; en 1923 G. Cirot publicó la versión de la *Corónica* incompleta, hallada en la Biblioteca de los duques de Medinaceli; en 1957 se encontró otra vez la perdida edición de la *Chrónica,* de Toledo, 1561, en la Biblioteca de la Real Academia de la Historia.

Como un indicio de los juicios que el *Abencerraje* suscitó en la revisión del siglo xix, citaré dos de ellos, procedentes de críticos muy dispares en los módulos de su apreciación literaria: el primero es de Bartolomé José Gallardo, siempre parco en alabanzas, que escribió, en un ejemplar del *Inventario* que poseía, el más logrado elogio de la obra: «Esto parece que está escrito con pluma del ala de algún ángel»[8]. Por su parte, Menéndez Pelayo estimó que la obra, en la versión de Villegas, es «un dechado de afectuosa naturalidad, de delicadeza, de buen gusto, de nobles y tiernos afectos, en tal grado que apenas hay en nuestra lengua novela corta que la supere»[9]. Pocas obras han logrado un juicio tan favorable y unánime.

Y, por si esto fuera poco, el *Abencerraje* ha resultado una obra que ha atraído también la atención de la crítica más combativa de los últimos años. El *Abencerraje* no es un bello sueño poético, sino una obra que recoge la resonancia de los más graves planteamientos espirituales de la época, aparecida en tiempos decisivos para la historia de los españoles; así ocurre con el problema de su posible relación con la cuestión de una expresión literaria promovida por los conversos, con la afirmación de un ideal ético de condición civil, con la denuncia implícita de la intolerancia que representa la obra. Las cuestiones que trae consigo la interpretación de las versiones a través del texto fluido de una obra única en su materia narrativa atraen a los críticos a través de un arco de puntos de vista muy diversos. La obra, pues, sigue en un primer termino en la consideración actual de la Literatura española del siglo XVI.

EL «ABENCERRAJE» A LA CABEZA DEL GRUPO
GENÉRICO MORISCO

El *Abencerraje* fue, pues, una obra que dejó una continua huella en la literatura española y en la europea. Y además el libro sirvió como punto de partida para iniciar un grupo genérico de obras que se conoce con el título de «morisco»,

---

[8] Citado por M. Menéndez Pelayo, *Antología de poetas líricos castellanos,* en *O. C.,* VII, pág. 162.

[9] Marcelino Menéndez Pelayo, *Estudios sobre el teatro de Lope de Vega,* en *O. C.,* V, pág. 213.

encabezando las manifestaciones en prosa del mismo. En cierto modo, ocurrió otro tanto con el *Lazarillo* respecto del grupo genérico de la picaresca en prosa. C. Guillén[10] ha objetado esta propuesta por cuanto en la novela del *Abencerraje* Narváez participa activamente en el desarrollo del argumento de la obra, y aun se sitúa en un primer plano, mientras que en las obras que él estima como moriscas, posteriores, son los moros los que están por delante. Sin embargo, la función de Narváez, además de ser motivo para realzar la condición hidalga de uno de la familia, está condicionada literariamente por la intención de que el hecho contado sea, al menos aparentemente, veraz. La intervención de los cristianos en los libros moriscos posteriores depende del curso de los argumentos de las respectivas obras. La opinión más general entre los historiadores de la literatura es que el *Abencerraje* puede ir en cabeza del grupo morisco, salvando siempre la identidad poética de cada obra, evidente siempre en la variedad propia de un grupo genérico. Cada obra tiene que situarse en su propio contexto histórico, en el que toma sentido literario para los lectores. El *Abencerraje* es propio de la década de 1560, contando con lo que por entonces fuera la condición del morisco en relación con la sociedad cristiana. Este contexto es diferente del que el moro tuvo en el siglo xv (época en la que se sitúa la acción), y distinto a su vez del que pudo haber en 1609 cuando se ordena la expulsión de la descendencia de estos otros moriscos.

Además del *Abencerraje* hay que contar también con el romancero, dentro de cuyas manifestaciones (tanto de las folclóricas, como de las que fija la escritura y la imprenta, anónimas o de autor) se reunieron durante el siglo xv y el xvi un cúmulo de elementos que coadyuvaron a la constitución del grupo genérico morisco. G. Cirot[11] le dio en-

---

[10] C. Guillén, 1965, pág. 16.
[11] Georges Cirot, «La maurophilie littéraire en Espagne au xvᵉ siècle», *Bulletin Hispanique*, 40 (1938), págs. 150-157, 281-296, 433-477;

tidad suficiente recogiendo la variedad de estas y otras manifestaciones dentro del concepto de la «maurofilia literaria» que obtuvo fortuna. Los libros de Carrasco Urgoiti y de Morales Oliver estudian el moro literario y la novela morisca, respectivamente. La culminación de este grupo morisco se encuentra en la obra de Ginés Pérez de Hita, *Guerras Civiles de Granada* (I, 1595; II, 1619) que constituye la obra «clásica» del mismo. Con esto, cabe hallar otra vez el paralelo con el *Lazarillo* (1554) y el *Guzmán* (1599; II, 1604), la obra clásica del grupo picaresco.

EL «ABENCERRAJE» COMO NOVELA

Teniendo en cuenta que en las Crónicas históricas del siglo xv, en el Romancero y en otras manifestaciones literarias van decantándose estos elementos que han de constituir el grupo morisco, fue, sin embargo, la invención de la novela en la Literatura española el factor más activo para la integración de estos elementos en el nuevo cauce estructural de la prosa de ficción. Y esto se hizo de una manera por la que se vino a coincidir con la abundante experiencia de la *novella* italiana de un modo confluyente, como consecuencia de la difusión de esta acertada fórmula narrativa. Boccaccio se dio cuenta de la gran variedad posible en los contenidos de la *novella* al indicar que su propósito fue «raccontare cento novelle o favole o parabole o istorie»[12]. Los narradores españoles del *Abencerraje* (autor y coautores) se inclinaron por establecer su obra en el plano de las *istorie,* y así lo manifiestan cuando insisten en que su obra es un *cuento* en el sentido de lo que se dice, cuenta o sabe

---

41 (1939), págs. 65-85; 42 (1940), págs. 213-227; 43 (1941), págs. 265-289; 44 (1942), págs. 96-102; 46 (1944), págs. 5-25.

[12] Giovanni Boccaccio, *Il Decameron,* Turín, Einaudi, 1950, ed. de Giuseppe Petronio, I, pág. 102.

por diversos medios (Villegas); *parte de la Corónica o Chrónica; contar algo que fuese historia o algún acaecimiento* (añadido a la *Diana); historia* (manuscrito de la *Historia del moro* y versión épica de Balbi). El módulo estructural que se aplica al argumento es obviamente el que procede de la *novella* italiana. He aquí una relación de las características formales que lo prueban: *a)* la extensión del *Abencerraje,* relativamente corta y que no alcanza la condición del libro en la terminología de la Poética de la época; *b)* el partir de un hecho de apariencias históricas, atribuido a un hombre conocido por su fama, era propio de la *novella* italiana, con la diferencia de que la ciudad se sustituye por el lugar de la frontera, necesario para el desarrollo del *Abencerraje,* o por la Granada mora en otras obras; *c)* la objetividad narrativa del relato es el sistema dominante en la comunicación, de un orden impersonal, salvando las partes en que se usa la primera persona gramatical, y también las epístolas; *d)* la utilización de una prosa artística con los convenientes adornos (según indico en las notas), pero sin una tajante separación con el habla común dignificada, dentro del buen gusto que permite que la obra sea leída por un amplio sector de público; *e)* el encauzamiento anecdótico de un caso de amores que favorece la exposición de unos principios morales de condición civil, propios para el entretenimiento del lector profano, que así recibe una enseñanza ajena a una inmediata intención religiosa. Este módulo estructural aparece actuante para ordenar una materia narrativa que procede aparentemente de la cercana historia y que enseguida deriva, como corresponde a su verdadera naturaleza novelesca, hacia el relato de los sucesos amorosos de los personajes y sus incidencias.

El hecho es que el autor de la obra (el que dio la organización inicial a los datos establecidos y, desde luego, Villegas) conoció muy bien esta técnica de la *novella* italiana que hacia 1550-1560 era común a las literaturas europeas, en las cuales el uso del procedimiento literario había llegado a ser general y no implicaba ya dependencia alguna. Por otra parte, la resistencia de los coautores a la aplicación del término *novela* puede considerarse como rasgo característico de una literatura que prefiere una invención narrativa templada por el acercamiento a una historia que en más o en menos los lectores podían reconocer como la propia de la frontera que hacía tan sólo medio siglo que había desaparecido. Y, además, como se dirá en el próximo párrafo, la novelística italiana pudo ofrecer obras que acaso valieran como chispa inspiradora del *Abencerraje;* por lo menos, se puede encontrar un propósito y unos procedimientos paralelos que indican el progresivo desarrollo de esta *novella* como experiencia necesaria para la aparición de la gran novela europea, encabezada por el *Quijote.*

EL TEMA DOMINANTE: LA LECCIÓN DE GENEROSIDAD

Si se hace abstracción de las circunstancias en que se desarrolla la anécdota de la narración, en todas las versiones aparecidas existe un tema dominante, al cual se halla sometido el desarrollo de la obra y dentro del cual se articulan los episodios: la obra ofrece una lección de generosidad, y sus personajes son gente enfrentada por motivos decisivos de religión y de generación (en el sentido del engendramiento dentro de una ley) y también de patria. Dentro de la obra la expresión con que el propio Narváez resume la acción de su conducta, es «empresa generosa» (carta a Jarifa, al fin de la obra). La generosidad se destaca, pues, como el tema sustancial del relato. Se trata de un motivo muy general en la Literatura: así aparece en los cuentos folclóricos y los ejemplos medievales, sólo que en estos lo dominante es la generosidad religiosa por medio de la limosna. Se percibe que esta corriente crece a fines de la Edad Media, y el *Libro de los ejemplos* es un testimonio, pues hallamos en él bastantes cuentos en los que se exalta la caridad

27

ejercida por la limosna, que puede llegar a casos extremos, y también hay muestras de la caridad franciscana hacia los animales. Sin embargo, la vertiente moral de orden civil sigue insistiendo en el conocido caso de la generosidad continente de Alejandro y Escipión hacia las mujeres, y la actitud frente al seguidor de otra «ley» que no sea la cristiana se manifiesta negativa; así, referido al caso de un judío, el ejemplo 202 desarrolla este epígrafe versificado:

> De hombre infiel, que es de otra ley,
> nunca fíes, y desto me crey[13].

El ambiente histórico de la frontera replantea el caso de la generosidad, un núcleo argumental común que así obtiene un nuevo tratamiento de tipo moral y político.

Para lograr con más evidencia los efectos del enfrentamiento entre los dos protagonistas, el autor se ha cuidado de oponerlos en cuanto a la edad que les atribuye; existe, en principio, una oposición en las conductas de ambos que obedece a un acreditado tópico, propio de la caracterización de los personajes: el encuentro entre el hombre que por su edad y condición posee la experiencia, y el joven audaz y, en cierto modo, irreflexivo, necesitado de consejo. En esta distribución de papeles Rodrigo de Narváez es el hombre maduro que posee la ciencia humana necesaria para dominar los sucesos de la fortuna; el abencerraje es el joven («a mí me llaman Abindarráez, *el mozo*», dice él en todas las versiones a Narváez) que se deja arrastrar por la pasión y que obra por impulsos sin pensar cuál pueda ser el desenlace. Ambos actúan conforme a su condición y po-

---

[13] *Libro de los exenplos por a. b. c.*, Madrid, CSIC, 1961, ed. de John E. Keller, núm. 202, págs. 162-164; el caso de Alejandro (a través de Vegecio) y de Escipión con la mujer de Alicio, núm. 82, págs. 82-83. Cfr., del mismo John E. Keller, *Motif-Index of Medieval Spanish Exempla*, Knoxville, University of Tennessee, 1949, pág. 65, W. 11; casos de generosidad franciscana, núm. 15, pág. 36 y núm. 142, pág. 122.

drán llegar a un acuerdo porque los dos, cada uno a su modo, ejercen la virtud que les corresponde; si los dos se encuentran es porque se necesitan para llegar a una plenitud humana: Narváez puede mostrar su serena madurez porque Abindarráez necesita su ayuda; el moro resuelve su caso de amor porque confía en el conocimiento que el cristiano tiene de los hombres (de él mismo, de su, con motivo, enfurecido suegro y del rey moro de Granada). Ambos personajes se complementan por sus acciones diversas: de amor, en el moro; y de generosidad, en el cristiano. Uno y otro están reunidos por causa de la guerra, y ambos cumplen como buenos en ella. Es la guerra propia de la frontera, con enfrentamientos de grupos en los combates y con las escaramuzas de las treguas, como es el caso contado. La escaramuza enfrenta a hombres de uno y otro bando de una manera personal, a manera de torneo sangriento, y esta guerra es el punto de partida de la novela. Luego, las imágenes de la guerra y sus incidencias no dejarán de hallarse en el curso de la obra; el combate entre el moro y el cristiano trae el cautiverio del primero; y este suceso, cotidiano en la guerra de fronteras, es ocasión de que el segundo ponga de manifiesto su virtud por la vía de la generosidad.

a) *La generosidad entre los antiguos*

La exposición histórica de los casos en que se manifiestan los beneficios de la generosidad aparece sobre todo entre los enemigos enfrentados por motivos políticos, en particular, cuando antes hubo un encuentro bélico entre ellos. La clemencia con el vencido y la templanza en la victoria fueron en la Antigüedad señales de virtud en los grandes capitanes. Los casos más citados fueron los de Alejandro y de Escipión, reunidos ambos por Aulo Gelio (*Noches áticas,* libro VI, capítulo 8). De Alejandro se cuenta la liberal conducta que tuvo con la madre, esposa e hijos de Darío

(Quinto Curcio, libro III, capítulo 12); de Escipión, Tito Livio (libro XXVI, capítulos 49-50) dice que prefería ganarse a sus contrarios más por las buenas acciones que por el temor; y así lo prueba con su conducta en relación con las jóvenes cartaginesas y, sobre todo, en el caso de Alicio, jefe celtíbero a cuya prometida deja en libertad sin cobrar el rescate, por lo que este lo proclama vencedor «cum armis, tum benignitate ac beneficiis». El caso pasó a Valerio Máximo (*Dichos y hechos,* libro IV, capítulo 3) y a Polibio (*Historia,* libro X, capítulo 19). Por otra parte, en cuanto al cumplimiento de la palabra que da un prisionero que recibe la libertad para cumplir una misión y volver al cautiverio, el ejemplo de Marco Atilio Régulo era bien sabido de todos.

b) *La generosidad en la frontera medieval hispano-árabe*

Este cauce anecdótico de la generosidad con el vencido va formando un tópico de situación, accesible a los lectores y oyentes de los siglos medievales por cualquiera de las vías mencionadas (se trata de libros de copia frecuente), y se testimonia también radicado en la frontera que fue el límite entre los dominios cristiano y árabe en la península ibérica durante la Edad Media. En la línea de la frontera la ocasión era propicia tanto a los enfrentamientos en las correrías bélicas, como a los tratos pacíficos en las treguas. En el *Poema del Cid* el héroe se prueba tanto frente a los moros, como frente a algunos cortesanos de Alfonso VI que también son sus enemigos. En el centro del *Poema* don Rodrigo, en un examen de su conciencia como combatiente, dice lo siguiente:

> Arranco las lides   commo plaze al Criador
> moros e christianos   de mí han grant pavor.

(vv. 2497-2498)

Y, por el contrario, el Cid tiene amigos tanto entre los cristianos, como entre los moros. Esto no impide que el héroe de la acción bélica sea un combatiente cristiano contra los moros y victorioso frente a ellos por motivos de religión y política, ambos aunados.

Conviene destacar ahora los casos de los que se tiene noticia sobre la generosidad en la frontera, en particular en las ocasiones en que la generosidad no es sólo el resultado de la convivencia forzosa en tierras cercanas, sino aquellos en los que en el hecho contado se mezcla el amor y las mujeres de algún modo. En este sentido J. Fradejas[14] ha destacado en 1985 un texto que no había sido considerado en relación con nuestra novela, aun cuando J. D. Fitz-Gerald[15] había escrito en 1902 que la anécdota que relata «nos recuerda los romances de Abindarráez y Jarifa».

En la Edad Media fue conocida la vida de Santo Domingo de Silos a través de las obras de Grimaldo (en latín) y Berceo (en lengua vernácula); era común que la vida del santo que se contaba fuese seguida de los milagros que acrecentaban la admiración por él entre los fieles. Berceo nos dice que, en otro libro (o parte), después de la vida y entierro de Domingo, quiere contar «los milagros del muerto, de los cielos casero» (est. 536d). Este propósito continuó otro fraile, Pedro Marín[16], que al menos de 1239

---

[14] José Fradejas Lebrero, *La novela corta del siglo XVI*, Barcelona, Plaza y Janés, 1985, I, estudio, págs. 171-188; textos, II, págs. 724-744.

[15] John D. Fitz-Gerald, «Caballeros Hinojosas del siglo XII», *Revista de Archivos, Bibliotecas y Museos*, 6 (1902), págs. 49-60; la cita en la página 59.

[16] Véase Fr. Alfonso Andrés, «Notable manuscrito de los tres primeros hagiógrafos de Santo Domingo de Silos (siglo XIII-XV)», *Boletín de la Real Academia Española*, 4 (1917), págs. 172-194 y 445-448. Vuelve a insistir sobre lo mismo José Montoya Martínez en «La tradición literaria del "moro enamorado". Un texto del siglo XIV», *Anuario Medieval*, 3 (1991), págs. 201-216 en una edición paleográfica, comparada con el texto de fray Prudencio de Sandoval.

a 1293 vivió en el convento, y que escribió unos *Miráculos romanzados* añadiendo más casos milagrosos. En este manuscrito figura un texto con la *Historia de don Muño Sancho de Hinojosa,* que es el que nos conviene considerar aquí y que se atribuye a Pedro Marín y damos en el apéndice I en una versión modernizada[17].

El que se copiase en el curso del manuscrito esta Historia de los Hinojosa, según mi opinión se debe a que lo que se cuenta en ella puede considerarse como formando parte del halo milagroso que rodea la consideración del Santo y en pro de la fama del Monasterio[18]. Por otra parte, en la familia hubo gente de religión para los que era conveniente mantener la relación del linaje con el centro monástico[19]. De ahí que otro entronizador del Santo, Fray Juan de Castro, la publique en otra versión que recoge la fama de la familia y diga que se trata de la «historia del santo y valeroso caballero don Muño Sancho de Finojosa»[20]. Se entendió

---

[17] Realizada sobre la edición crítica del mencionado Fray Alfonso Andrés, art. cit., págs. 456-458; esta edición ha sido preparada sobre el manuscrito de Silos y variantes. J. D. Fitz-Gerald había publicado otra edición, basada en el manuscrito de la Real Academia de la Historia: «Caballeros Hinojosas del siglo XII», antes citada, que en parte reproduce J. Fradejas, ob. cit., pág. 724.

[18] El primero que dio a la imprenta este relato fue Fray Antonio de Yepes en su *Coránica General de la Orden de San Benito,* tomo IV, Centuria IV, Valladolid, Francisco Fernández de Córdoba, 1613, en donde se lee: «ay un libro manuscripto muy viejo donde está hecha memoria de los Milagros de S. Domingo y entre ellos, como cosa muy grave, está hecha memoria deste cavallero Muño Sancho que escrivió un monge de la casa llamado Pero Martín en tiempo del santo Abad don Rodrigo por la era de mil y dozientos y ochenta» (fol. 381v-382).

[19] De esta familia hay noticia de Martín de Finojosa, hermano de Nuño Sánchez, que está entre los santos del *Sanctoral Cistersiense* de fray Ángel Manrique (Barcelona, Jerónimo Margarit, 1613), Libro II, folios 92v-124v.

[20] Fray Juan de Castro en *El glorioso Thavmaturgo español redemptor de Cautivos Sto. Domingo de Sylos,* Madrid, Melchor Álvarez, 1688, págs. 312-316.

que era una *historia* para probar la nobleza y santidad de la familia, y no una obra de condición literaria. La noticia en cuestión rueda por los libros de historia del siglo xvii, cuyos lectores eran limitados y poco inclinados al entretenimiento literario y siempre como dato accesorio; así ocurre en el caso de Fray Antonio de Yepes, cronista de San Benito, ya citado (1613), y en una historia de reyes de Castilla y León (1634), de Fray Prudencio de Sandoval[21].

Por tanto, el relato de los Hinojosa en cuestión no vuelve a difundirse desde los manuscritos medievales hasta el siglo xvii en el curso de libros religiosos y cronísticos, y como dato accesorio en un conjunto, mientras que el caso contado en las versiones del *Abencerraje* primeras y en Villegas constituye el argumento completo de la obra, y el caso de los Hinojosa se refiere a un hecho del siglo xi, circunscrito a la fama del monasterio de Silos y propio para mantener la del linaje de los Hinojosa.

La hipótesis de J. Fradejas es que el *Abencerraje* sea «una remodelación de un texto que venía recordándose oralmente desde el siglo xiii»; y el enlace lo establece así: «... esta narración siguió contándose (como leyenda) o cantándose (si fue poema épico)...». Luego cree que «dio lugar a romances...»; y cita el romance contaminado entre el de «La mañana de San Juan...» en sus versiones iniciales (relativas a la noticia de la toma de Antequera) y las otras versiones que, después del inicio de la fiesta, en vez de la noticia de la caída de Antequera, traen la conversación entre Jarifa y Fátima[22]. Sin embargo, no he encontrado ninguno que mencione a esta Jarifa antes de 1573, año en el

---

[21] Lo incluye en la *Historia de los Reyes de Castilla y de León...* Fray Prudencio de Sandoval (Pamplona, Carlos de Labayen, 1634), que dice «sacada de los Previlegios, libros antiguos, memorias, diarios, piedras y otras antiguallas...» Sandoval dice que lo toma de «una tabla que dize así» (folios 101-102) y copia la versión.

[22] J. Fradejas, *La novela corta del siglo xvi,* ob. cit., estudio, pág. 175.

que la narración de los amores de Abindarráez y Jarifa y la intervención de Narváez para su logro estaba ya extendida por otros medios literarios. J. Fradejas establece la relación emparejando la *historia* de don Muño Sancho y la narración ficticia del *Abencerraje,* y cree que por la vía de la tradición pudieron relacionarse ambas lecciones de generosidad considerando que la posible «epopeya» de los Hinojosa se hubiera convertido en la «novela» del *Abencerraje,* según el proceso general de la poesía épica. Sin embargo, faltan noticias o siquiera presunción de ellas que testimonien la relación posible entre ambos textos; por otra parte, el Monasterio de Silos queda lejos de los lugares en que aparecen la novela y los romances, y en el siglo XVII la «propaganda» de los monasterios no corre por los cauces épico-religiosos como en la Edad Media. Además, el propósito del escrito de Silos y el de las obras literarias es diverso. En uno la generosidad es virtud de orden religioso y significa una demostración más hacia la santidad (y testimonio de la salvación del alma del guerrero); en el Apéndice I he dado completa la noticia de este don Muño Sancho porque, además de la anécdota de las bodas de Aboadil y Allifra, y de su libertad, hay otras tres que corroboran esta significación: la muerte heroica del caballero en lucha con los moros; la peregrinación del mismo después de muerto a Jerusalén; y el honroso entierro del mismo por la acción del moro que había recibido el beneficio de la libertad.

Las tres anécdotas confirman el sentido de la virtud religiosa del caballero Hinojosa y convienen con la literatura enaltecedora del linaje, cercana al santo del Monasterio del manuscrito, pero no con las formas de la ficción caballeresca al uso. En el caso del *Abencerraje* se exalta en el héroe una virtud de orden social que afirma su personalidad con rasgos de ficción en una medida humana, aprovechable para el prestigio de la hidalguía contemporánea pero en forma accesoria y en un contexto en el que el moro, ahora morisco, tiene otra consideración. La relación que establece J. Fradejas es tentadora y merece considerarse también desde esta otra interpretación; no en cuanto a una relación temporal por la vía de una tradición, sin indicios en este caso (aunque siempre cabe que aparezcan), sino en una relación atemporal, según la cual las semejanzas se deben al posible juego entre los elementos que intervienen en un relato de fronteras. El cristiano tiene que sobrepasar en virtud al moro, y más si en el caso interviene la mujer por el lado del vencido (aquí prisionero). Hay generosidad en el otorgar libertad al prisionero y se crece más al respetar a la mujer del vencido, como estaba asegurado por el imperativo de los casos antiguos citados. En ambos casos intervienen estos factores, existentes por razón de los «problemas perennes de conducta humana»[23], que van reiterando el caso con otros nombres y circunstancias que si tienen apariencias históricas, es por la misma naturaleza del relato. Tiene razón J. Fradejas cuando reivindica para esta línea de textos uno de las vías de la constitución de la «novela histórica»[24], y añadiría que de la moderna porque en la antigua y la medieval esto ocurre con la materia de Alejandro, en la que la historia y la ficción se mezclan.

Además de este caso del caballero Hinojosa, resulta que en el curso del siglo xv las ocasiones para que se entablen relaciones entre cristianos y moros aumentan en número[25] y, por tanto, es posible que esta materia argumental de la

---

[23] Véase la teoría del caso aplicable en Claudio Guillén, *Entre lo uno y lo diverso. Introducción a la literatura comparada,* Barcelona, Crítica, 1985, pág. 255, en relación con S. S. Prawer.

[24] J. Fradejas, *La novela corta del siglo XVI,* ob. cit., estudio, págs. 171-174.

[25] Véase una descripción de esta situación en Amelia García Valdecasas, «La singularidad de la frontera granadina según la historiografía castellana», *La Corónica,* 16:2 (1987-1988), págs. 101-109. Datos históricos sobre la otra cara de la medalla (o sea, sobre los cristianos cautivos en Granada), en Cristóbal Torres Delgado, «Liberaciones de cautivos del reino de Granada», *En la España medieval,* Estudios en memoria del profesor D. Salvador de Moxó, Madrid, Universidad Complutense, 3, 1982, págs. 639-651.

generosidad corriera por Andalucía en forma de *cuento,* relato que se contaba como historia[26]. Un testigo excepcional como Hernando de Baeza se refiere a las historias que le contaron muchos cristianos pervertidos de Granada; Baeza se hizo amigo suyo para intentar su reconversión y escribe: «Y como yo [...] supiese que destas historias ellos y ellas sabían muchas, siempre les preguntaba por saber la certenidad de ello; y según la calidad de sus personas y la manera de su conversación, así creo para mí las historias que he contado en parte, como si las viera»[27]. De entre los numerosos asuntos que acaso formaron parte de las historias contadas, uno de ellos pudo ser la generosidad del cristiano para con el moro vencido; ¿sería la *Historia del moro,* como propuso M. S. Carrasco, reflejo de esta forma primaria? Pero hay otros casos manifiestos: Fernando del Pulgar en la *Crónica de los Reyes Católicos*[28] expone un alegato de Rodrigo Ponce de León con ocasión del prendimiento de Boabdil en 1483 en favor de su libertad. Alonso de Palencia[29] en su historia latina cuenta la generosidad de don Enrique, duque de Medina Sidonia, protegiendo a un abencerraje, cautivo de la guerra, de las asechanzas del rey de Granada. Y otros relatos, fuera de las historias, se acercan más al *Abencerraje:* así ocurre con las *Relaciones de Pedro de Gante* (1520-1524)[30] en donde se

---

[26] Para las crónicas de los siglos XIV y XV, véase Amelia García Valdecasas y Rafael Beltrán Llavador, «La maurofilia como ideal caballeresco en la literatura cronística del XIV y XV», *Epos,* 5 (1989), págs. 115-140, y para los datos en romancero, épica y novela del siglo XVI, F. López Estrada, 1957, págs. 91-146.

[27] Hernando de Baeza, *Relación de algunos sucesos de los últimos tiempos del Reino de Granada,* Madrid, Bibliófilos Españoles, 1868, pág. 37.

[28] Fernando del Pulgar, *Crónica de los Reyes Católicos,* Madrid, Espasa-Calpe, 1943, II, pág. 89.

[29] Alonso de Palencia, *Crónica de Enrique IV,* Madrid, Col. de Escritores Castellanos, 1908, págs. 325-326.

[30] *Relaciones de Pedro de Gante,* Madrid, Bibliófilos Españoles, 1873, pág. 151.

menciona el caso de Alonso de Aguilar, que deja en libertad a un joven moro prisionero que se manifiesta enamorado.

Las indicaciones que vengo haciendo no perturban la postura contraria frente a los moros, a los que se considera enemigos de la fe y de la patria, con los cuales no cabe acuerdo. Juan de Mena[31] es un intérprete de este espíritu antagonista, propio de la política intelectual de la época, cuando escribe lo siguiente:

> ¡Oh, virtüosa, magnífica guerra!,
> en ti las querellas volverse debían,
> en ti do los nuestros muriendo vivían
> por gloria en los cielos y fama en la tierra;
> en ti do la lanza crüel nunca yerra
> ni teme la sangre verter de parïentes,
> revoca concordes a ti nuestras gentes
> de tales cuestiones y tanta desferra...[32].

Fernando de Narváez, descendiente de nuestro don Rodrigo, alcanzó «la corona del cielo y la tierra / que ganan los tales en la santa guerra»[33]. El caso radica en que ambas conductas, la bélica, que sólo reconoce los hechos de armas contra el infiel, y la moral, que aplica al enemigo, cualquiera que sea, los beneficios de la generosidad, fueron verdaderas y pudieron ser reales. Hay una aparente contradicción entre el Rodrigo de Narváez del comienzo de la novela (peleador contra los moros, que no cesa en la vigilancia de la frontera frente a «nuestros enemigos»), y el mismo capitán, que se comporta en forma tan generosa con Abindarráez, uno de estos moros. Se diría que quiere realizar una para-

---

[31] Véase la cuestión planteada más ampliamente en Francisco López Estrada, «Sentido poético de la frontera en el *Laberinto* de Juan de Mena», *Boletín de la Real Academia de Córdoba*, 76 (1957), págs. 91-103.

[32] Juan de Mena, *Laberinto de Fortuna*, Madrid, Alhambra, 1976, ed. de Louise Vasvari Fainberg, pág. 157, texto modernizado.

[33] *Ídem*, pág. 177, est. 197.

dójica misión que podríamos enunciar así: «tengamos la guerra en paz». Si había que combatir, pues esto era inevitable, que fuese siempre de la mejor manera posible, tornando a la menor ocasión las lanzas de la guerra en las cañas floridas de la amistad. Resulta propio de la novela contar casos excepcionales dentro de la insólita variedad humana; este género de obras propendía a entretener con la ficción imaginada sobre estas situaciones culminantes en las que la virtud de un hombre se sobrepone a los efectos de la política secular de las guerras de Reconquista. Rodrigo de Narváez llega a armonizar *virtud y hechos de armas,* al menos dentro de la novela, y esta es la lección que ofrece su humanidad. Esta corriente medieval desemboca en los autores del Renacimiento y se integra en el esquema de las virtudes sociales e individuales del hombre moderno español. Este es el caso, por citar un ejemplo español, del escritor Juan López de Vivero, el doctor Palacio Rubios, el cual en su *Tratado del esfuerzo bélico-heroico* (Salamanca, 1524) propugna la generosidad como la segunda muestra del esfuerzo del buen caballero y lo prueba con los casos antiguos de reyes y capitanes: «usando el virtuoso de esta virtud y nobleza, a sí mismo honra»[34].

Finalmente añadiré que esta virtud del trato generoso con el enemigo al que se ha combatido con las armas también se encuentra de manifiesto en el gran poema barroco sobre la toma de Antequera escrito en el Perú por un autor de la misma ciudad, Rodrigo de Carvajal y Robles (h. 1580-d. 1632); este escritor incluye a los abencerrajes entre los moros enemigos que combaten con las fuerzas cristianas de don Fernando, llamándolos «calificados»[35], y aplica los be-

---

[34] Juan López de Vivero, *Tratado del esfuerzo bélico-heroico,* Madrid, Revista de Occidente, 1941, pág. 114.
[35] Rodrigo de Carvajal y Robles, *Poema del asalto y conquista de Antequera Lima, 1627,* Madrid, Real Academia Española, 1963, ed. de Francisco López Estrada, VIII, est. 41, pág. 127.

neficios de la generosidad a lo que ocurre en un encuentro personal entre Rodrigo de Narváez y un moro notable llamado Monfarrés, el cual, derrotado en el combate por el cristiano, este le ofrece quedar libre sin rescate. El moro elogia entonces la *virtud* de Narváez con una alabanza que dice que su condición de valiente no le quita la de ser cortés[36].

Por tanto, queda de manifiesto que don Rodrigo es el primer héroe del relato del *Abencerraje* (independientemente de que la acción sea ficticia) y que el caso de Abindarráez y Jarifa es una prueba más de las muchas que se le atribuyen y que en el caso de la novela es sustancial. Los enamorados moros valen para que el cristiano pueda ejercer en este caso una virtud en la que esa generosidad es una manifestación de orden civil, sin que hayan intervenido en el caso las instituciones religiosas que pudieran haber establecido un contrato de rescate entre el vencedor cristiano y el vencido moro. Esta generosidad «civil» es un rasgo que puede ser interpretado como una forma de la tolerancia en el trato en el caso de gentes de leyes diferentes, cuestión que trataremos después, en la interpretación de una posible intención política de la novela en la época en que se escribieron las primeras versiones.

c) *La generosidad en la «novella» italiana de cautivos*

El argumento del *Abencerraje* pertenece en principio al grupo de la llamada «literatura de cautiverio», un filón muy abundante en los Siglos de Oro. Sin embargo, aunque G. Camamis[37] entiende que esta obra es una de las formas más

---

[36] *Ídem,* est. 18-40, págs. 210-213.
[37] George Camamis, *Estudios sobre el cautiverio en el Siglo de Oro,* Madrid, Gredos, 1977, págs. 40, 57 y otros lugares. Véase también la breve historia de estos libros de cautiverio de Miguel Ángel Teijeiro Fuentes, *Moros y turcos en la narrativa áurea (El tema del Cautiverio),* Cáceres, Universidad, 1987, que considera la novela de José Camerino, *La triunfante porfía* (1624) como una trama contraria a la del *Abencerraje,* pues el preso es un cristiano (pág. 20).

afortunadas del tema, el *Abencerraje* se desvía de este grupo porque, si bien Abindarráez resulta cautivo de Narváez en una escaramuza de frontera, pronto el curso del argumento crea una situación que se sobrepone al resorte inicial del cautiverio. En efecto, hay un buen número de obras en las que el protagonista pierde la libertad y queda cautivo de otros (piratas, bandidos, los contrarios en las guerras civiles, políticas y de religión, enemigos de cualquier orden, etc.); se trata de un recurso muy aprovechable a los efectos de la trama novelesca, y esto se venía haciendo desde la literatura antigua. El esquema elemental cautiverio-libertad resulta cada vez más complejo, sobre todo teniendo en cuenta las obras italianas del género de la *novella,* en las cuales crecen estas interferencias sobre el caso de la pérdida de la libertad, y entonces el sentido de la «aventura», tan propio de estos casos, queda sofocado por estos otros fines.

Contando con el gran número de *novelle* que se habían escrito cuando se imprime el *Abencerraje,* los índices de motivos argumentales[38] nos permiten elegir las que pudieron servir para esta relación. Así ocurre con la *novella* XLIX de *Il Novellino,* de Masuccio Salernitano (hacia 1410-1475); este libro de *novelle* se difunde en forma abundante a partir de la edición príncipe (Nápoles, 1476). En esta *novella* Federico Barbarroja se propone visitar en secreto el Santo Sepulcro; el papa Alejandro IV, su antagonista político, según la *novella* (el III en la realidad), avisa con perfidia al sultán de Babilonia para que lo prenda, como así ocurre. Saladino, sin embargo, lo hace «con gran cautela dintro lo suo palagio guardare e con onore e diligenzia servire». Después de que los soberanos cristiano y musulmán se conocen, Saladino propone dejar libre a Federico y que le envíe un

---

[38] Véase D. P. Rotunda, *Motif-Index of Italian Prose,* Bloomington, Indiana University, 1942, Q54.2 y W11.5.

rescate de cincuenta mil ducados. El cristiano le agradece el rasgo de virtud que esto supone, y regresa a su Reino y le envía enseguida el precio convenido. Saladino recibe al emisario y le devuelve los ducados apreciando en más la amistad comenzada. Masuccio pone en contraste la lealtad de estos tratos entre caballeros con la dolosa conducta del Papa: «e noi con la integritá e perfezione de la vera fede di Cristo confirmandone, e da le usate virtú e del moro soldano e del cristianissimo imperatore esempio pigliando, ad altri, como si conviene, le possiamo, per laudevile e degne comendando, comunicare»[39]. El desarrollo argumental es diverso, pero hay puntos coincidentes: el rasgo de generosidad del gran señor (Saladino y Narváez) se establece sobre la confianza que se otorga al contrario en religión concediéndole la libertad antes del rescate (bajo juramento ante la Eucaristía en Federico y bajo palabra en Abindarráez); el gran señor recibe al capellán que le trae los ducados y Narváez el premio que le envían los enamorados moros, pero ambos devuelven el valor monetario alabando el otro valor espiritual, el de la amistad. Saladino dice «toglialo Idio che niuna quantitá di denari o tesori sia bastevole a farmi la nostra incominciata amicicia offendere o in alcuno atto maculare»[40]. Y el moro, padre de Jarifa, dice de Narváez a los enamorados: «... y tenelde de aquí adelante por amigo, aunque las leyes sean diferentes»; y el narrador español concluye la novela diciendo que todos quedaron «trabados con tan estrecha amistad, que les duró toda la vida».

El mismo Saladino aparece otra vez en la *novella* 44 de la *Libraria,* de Anton Francesco Doni (1513-1574); la *novella* va precedida de un breve comentario y refiere que en cualquier escritorio se encuentran a veces libros que

---

[39] Masuccio, *Il Novellino,* Roma, Laterza [1940], 1975, ed. A. Mauro, págs. 386 y 390.

[40] *Ídem,* pág. 389.

«anchora che le sien cose non molte belle, di quella bellezza che vorrebbon questi dotti, l'anno vn certo che del piacevole il quale non offende»; y entre ellos se halla «vn trattato il qual insegna dar tutte la dignità antiche»[41]. Esto es la *novella* que, como se dice, resulta ser más un tratado sobre la significación de la caballería. La ocasión de exponer el tratado es la parte novelesca: en los tiempos de Saladino, en un encuentro entre cristianos y turchi, el príncipe de Galilea, Hugo de Tabaria, quedó prisionero. Llevado ante Saladino, este le pide un rescate de cien mil *bisanti;* el señor cristiano le dice que esa cifra nunca podrá pagarla por la poca tierra que posee. Entonces Saladino lo elogia diciendo: «Voi li mi potete ben dare [...] però che voi siete si buon caualiere, che ciascuno che vdirà parlare di vostro ricomperamento, vi dará volentieri o del suo, o ve ne manderà»[42]. Y para que logre reunir el rescate, le ofrece dejarlo libre: «vno anno sopra la vostra legge, per tal conueniente che se vuoi i centomila bisanti non mi rendete infino a vno anfio, voi tornerete a me...»[43]. Este es el trato y antes de llevarlo a cabo Saladino quiere que Hugo le muestre cómo se hacen los caballeros cristianos, y le obliga a que le explique y realice la ceremonia de la ordenación en su misma persona, a pesar de no ser cristiano. Hugo va explicándole los atributos del caballero y su significación religiosa y civil. Tan satisfecho queda Saladino que, antes de irse Hugo, le ofrece él y sus nobles una cantidad superior a la del rescate para que así pueda redimirse

---

[41] *La Librada del Doni Fiorentino nella quale tono scritti tutti gl'Autori uulgari...;* Venecia (per Francesco Marcolini, apresso), Gabriel Giolito de Ferrari, 1550 [*La Seconda Libraria del Doni* tiene portada independiente con la fecha de 1551, que es la del colofón], fol. 72; el número de la *novella* procede de la ed. *Tutte le novele,* Milán, Daelli, 1883, que no trae el prologuillo.

[42] *Ídem,* fol. 72v.

[43] *Ídem,* fol. 73.

y volver a su tierra «lieto e gioioso»[44]. Como puede observarse, el caso de Doni queda muy lejos del de Narváez y el abencerraje. Sin embargo, encontramos el enfrentamiento entre hombres de leyes distintas, y en Doni la manifestación de la generosidad del infiel al fiel, y en el *Abencerraje,* del fiel al infiel (desde el punto de vista cristiano). Las anécdotas de Saladino se inscriben en la fama que este rey tuvo en Europa, ampliamente documentada; Juan Manuel[45] narra un ejemplo en el que Saladino, que se había enamorado deshonestamente de la mujer de un súbdito suyo, acaba por reconocer su error y honra a la dama con «amor leal y verdadero».

Por de pronto, en ese caso como en el anterior, el que sea Saladino el representante de la ley opuesta a la del príncipe cristiano obedece a que este caudillo musulmán obtuvo en la Literatura europea el tratamiento de antagonista noble y digno respecto de los señores cristianos con que se relaciona. En las literaturas francesa, italiana y española la figura de Saladino obtiene diversas interpretaciones, tal como estudió A. Castro[46] coincidentes en buen número de casos en mostrar el espíritu de la generosidad de que está dotado y que le permite comportarse como un buen caballero; las dos *novelle* elegidas se inscriben en el tema de la libertad del cautivo que le otorga el vencedor.

Por otra parte, la otra narración novelesca añadida al *Inventario* enlaza, como acabamos de indicar, con la buena fama de Saladino, sólo que esta vez aplicada al asunto de que es preferible la honra del buen amigo al goce de la

---

[44] *Ídem,* fol. 75v.

[45] Juan Manuel, *El Conde Lucanor,* Madrid, Cátedra, 1976, ed. Alfonso I. Sotelo, ejemplo L, págs. 288-299; sobre los componentes folclóricos que arrastra el tema, véase Daniel Devoto, *Introducción al estudio de don Juan Manuel,* Madrid, Castalia, 1972, págs. 461-462.

[46] Américo Castro, «Presencia del Sultán Saladino en las literaturas románicas» [1954], en *Hacia Cervantes,* Madrid, Castalia, 1957, págs. 19-50.

mujer. Otras dos *novelle* se han propuesto[47] para relacionarlas con esta otra parte añadida en la versión del *Inventario* en donde se cuenta el caso en que Narváez se retira de una aventura amorosa por guardar la honra del que había hablado bien de él. Una de ellas se encuentra en el mismo *Novellino* (la número XXI), de Masuccio, y otra es la *novella I* de la primera jornada de *Il Pecorone,* de Ser Giovanni (comenzada en 1378 y terminada hacia 1385), impresa en Milán, 1558, pero de la que antes hubo copias manuscritas. Si bien Crawford se inclina por considerar que la fuente pudo ser la *novella* de Masuccio, no resultan del todo convincentes sus argumentos. De todas maneras, la narración del *Abencerraje,* aunque sostiene el argumento de las italianas, en cierto modo paralelo con personajes diversos, resulta muy reducida y recae mejor en la categoría de «hecho notable», tal como se la llama.

Reuniendo estos datos, resulta que el *Abencerraje* presenta analogías suficientes con este grupo de obras como para poder afirmar que su autor intentó en español una obra semejante a estas *novelle* italianas; las características que antes se mencionaron, de orden formal, se confirman con la coincidencia temática en el asunto de la generosidad entre hombres de las distintas leyes en favor de la amistad; y, de una manera secundaria, con el tema del dominio de la pasión en favor de la honra del amigo.

Y finalmente añadiremos que la prueba final de esta condición novelística del *Abencerraje* se encuentra en que esta obra (probablemente a través de la *Diana)* fue reconvertida en *novella* en lengua italiana por Celio Malespini, el cual, en su libro *Ducento novelle* (Venecia, 1609) reelabora el argumento en la *novella* XXXVI de la segunda parte. Y esto lo asegura aún más la libre versión de Anton Giulio

---

[47] J. P. Wickersham Crawford, «Un episodio de *El Abencerraje* y una *novella* de Ser Giovanni», *Revista de Filología Española,* 10 (1923), págs. 281-287.

Brignole Sale en *Della Storia Spagnola* (Génova, 1640), como se indica en el Apartado I de la Bibliografía.

LA NOTICIA HISTÓRICA

La radicación histórica de los sucesos de la novela se pretende lograr atribuyéndolos a Rodrigo de Narváez, un caballero que estuvo con don Fernando en la conquista de Antequera en 1410 y al que nombró alcaide de la villa. El nombre y los hechos del primer Rodrigo de Narváez pasaron a las Crónicas reales y a los nobiliarios y libros de linajes; así se cita en la Crónica de Juan II, de Alvar García de Santa María[48], y también lo menciona Fernando del Pulgar en sus *Claros varones de Castilla*[49]. La conquista de la villa había ocurrido, como hemos dicho, en 1410 y el primer Narváez alcaide de la villa murió en 1424; por tanto, no pudo ser el mismo Narváez, al mismo tiempo, alcaide de Abra, que no cayó en poder de los cristianos hasta 1482. Además, hay que tener en cuenta que los Narváez también figuran en el repartimiento de Abra establecido en 1492, y esto aumenta los riesgos de confusión entre los miembros de la misma familia[50]. Los Narváez proveyeron, salvo un intervalo, de alcaides a Antequera y fueron considerados como una de las más arraigadas y representativas familias de la villa que, desde 1441, recibió el título de ciudad. De

---

[48] Véase Francisco López Estrada, *La toma de Antequera,* obra citada en la nota 4 de esta introducción, con los textos de la *Crónica* de García de Santa María según el manuscrito de la Biblioteca Colombina, texto modernizado.

[49] Fernando del Pulgar, *Claros Varones de Castilla,* Madrid, Espasa-Calpe, 1942, págs. 106-107.

[50] Véase Rafael Bejarano Pérez, *Los Repartimientos de Álora Cártama,* Málaga, Aula de Cultura, 1971; en el de Álora figura un Juan de Narváez, caballero, como difunto (págs. 62, 73 y 74) y se menciona a sus herederos (págs. 70, 73, 87 y 83).

ahí que el que escribió la versión de la *Diana* creyese conveniente indicar que la familia de los Narváez «dura hasta ahora en Antequera, correspondiendo con magníficos hechos al origen donde proceden». Por otra parte, en la carta de Narváez a Jarifa el capitán cristiano comenta los hechos escribiendo: «a mí en esta tierra nunca se me ofresció empresa tan generosa ni tan digna de capitán español», y por eso «quisiera gozarla toda y labrar della una estatua para mi posteridad y descendencia». ¿Pudo, pues, la obra haber tenido su origen en un escritor ligado de algún modo con esta familia, a la que quiso exaltar elogiando al fundador de la rama antequerana? No parece que haya sido así, porque errores como los indicados no parecen propios de alguien que conociese la historia local. Además, en los documentos sobre la familia de los Narváez (como en una probanza de 1605)[51] no se menciona este hecho del *Abencerraje;* Alonso García de Yegros, autor de una historia de Antequera escrita a comienzos del siglo XVII, menciona el suceso de Abindarráez, pero en uno de los manuscritos de la misma se abre un cauteloso paréntesis: «si es verdad lo que della se refiere, que yo no lo testifico por no hallarla [la historia] en autores graves»[52], Rodrigo de Carvajal y Robles en el citado *Poema del asalto y conquista de Antequera* (Lima, 1627) no menciona el caso por más que se trata de una obra muy extensa y propicia para situarlo entre las hazañas de uno de los héroes capitales del libro. El mismo Argote de Molina, en su *Nobleza de Andalucía* (Sevilla, 1588)[53], si bien resume la anécdota del caso al ocuparse de Rodrigo de Narváez, no la autoriza más que con el *Inventado,* de Villegas.

En cuanto al otro protagonista, el abencerraje Abindarráez, también posee una identificación confusa. Se dice

---

[51] F. López Estrada, 1957, págs. 258-268.
[52] *Ídem,* pág. 270.
[53] Gonzalo Argote de Molina, *Nobleza de Andalucía,* Sevilla, Fernando Díaz, 1588, cap. 182, fol. 296v.

que es de la familia de los abencerrajes, una de las mejor consideradas en el reino de Granada: los abencerrajes se tenían por oriundos de Arabia y fueron una milicia de gente noble y valerosa. El aprecio en que se les tuvo aparece testimoniado en una Crónica cristiana en la que se dice que, con motivo de la visita de un príncipe granadino a Castilla, se asignan a este cuatro doblas de oro para su despensa, «y a otro caballero que con él venía que se llamaba Abencerraje, dos doblas cada día, y otros caballeros moros que no eran de tanto estado, a cada uno una dobla...»[54]. En la minúscula política del reino granadino hubo varias ocasiones en las que esta familia cayó en la desgracia.

La cuestión más importante de esta exploración histórica ha sido establecer que los dos protagonistas fueron dos caballeros de linaje, cada uno en su campo; de esta manera la conducta de ambos queda predeterminada por la fuerza de la sangre, pero esta no basta: esta predeterminación hay que legitimarla con los hechos que se cuentan. El ajuste cronológico de los hechos con las personas no es factor decisivo, pues se trata de una novela que tiene sólo apariencias de historia.

Hemos considerado un tema básico (la demostración de la generosidad), el intento de dar carácter histórico (o, por lo menos, verosímil) al caso que pone de manifiesto esta generosidad y los evidentes yerros que se implican en la exposición en cuanto a los datos cronológicos, geográficos y políticos utilizados. Pero este reconocimiento no significa que lo que se diga en la obra transcurra por los ámbitos literarios de la libre imaginación, como ocurre en los libros de caballerías: el caso de un capitán de frontera como Narváez que cautivase a un moro de la vecindad como consecuencia de una escaramuza local fue posible en la vida de la

---

[54] Juan Torres Fontes, *Estudios sobre la «Crónica de Enrique IV» del Dr. Galíndez de Carvajal*, Murcia, C.S.I.C., 1946, pág. 91.

frontera entre los cristianos de Castilla y los moros de Granada[55], sobre todo en la última época del reino nazarí. Esta vida en la frontera sería dura, y su recuerdo aún permanece en el refranero, como atestigua Gonzalo Correas en su *Vocabulario de refranes* (1627): «Tres estacas y una estera, el ajuar de la frontera», y que el colector, ante una variante, confirma con esta nota: «...se ha de leer "el ajuar de la frontera" por las pocas alhajas que tienen los soldados en frontera de enemigos y presidios». No importa esta realidad padecida en las penurias de la frontera; el autor del *Abencerraje* toma del lugar fronterizo la ocasión para urdir allí la trama, que así resulta por lo menos verosímil. Sin esta vida de la frontera no hubiese podido escribirse el *Abencerraje;* hay que admitir, en efecto, que este relato (y los mismos romances fronterizos), como dice C. Guillén, «a todas luces no presentan al moro como moro, independientemente de la visión totalizadora del cristiano»[56]. Y esto ocurre por la misma ley de la creación poética a la que se adscribe la obra, que no es un informe técnico de sentido histórico, político o sociológico: se trata de una novelización establecida sobre una experiencia colectiva del pueblo español y que implica a cristianos y a moros, sobre todo a los que vivían en las inmediaciones de la frontera, con los castillos a una y otra parte en vigilia, y por medio unas relaciones de paz y de guerra alternativas que caracterizaron su modo de vivir. El autor y los coautores eligieron los hilos narrativos del entramado en esta situación histórica propia de la frontera; en el siglo xv España era el único espacio de Europa

---

[55] *frontera* indica 'enfrentamiento' pasivo de los lugares y activo en las personas. En el texto, el moro dice que Coín es «lugar frontero del vuestro». Sobre la compleja significación del término, véase Germán Orduna, «Movilidad de la frontera castellana y su reflejo en la lengua y literatura medieval de Castilla», *Anales de Historia antigua y medieval,* 21-22 (1980-1981), págs. 258-278, que considera la palabra esencial para entender la política cultural de Castilla.

[56] C. Guillén, 1965, pág. 189.

en el que existía un estilo de vida semejante. A mediados del siglo XVI actúa en el autor y en los coautores una adivinación poética, una selección instintiva que logra extraer de la multitud de hechos más o menos importantes acontecidos en la frontera una quintaesencia narrativa, objeto de la obra novelística en la medida en que lo escogido sirve para el propósito del autor, aunque su información sea deficiente desde el punto de vista del estricto rigor de los datos.

La novelización

Sin una poetización de esta situación básica, conocida por el autor y reconocida por los lectores, no hubiese sido posible la obra renovadora que, alzándose sobre la circunstancia del relato, alcanzase una perspectiva europea al enfrentar, como veremos, en último término la ética con la política. Por este mismo conocimiento común y general, cualquier lector sabía que lo que se contaba en esta obrita resultaría ineficaz, pues la amistad del cristiano y el moro no podía durar mucho tiempo, aun en el caso de que los hechos hubiesen sido reales. Por otra parte, el recuerdo folclórico y literario de romances y cuentos, y la presencia del pueblo morisco en muchos lugares de España (sobre todo, en Aragón y en Andalucía) hacían más patente lo que había sido esta realidad, terminada e inoperante desde 1492 con la caída de Granada. Sin embargo, las situaciones históricas que han durado siglos no se acaban de repente con la entrega de unas llaves o la firma de unos documentos. Uno de los resultados de esta inercia histórica fue la interpretación que de los hechos pasados se realiza en el *Abencerraje*. El autor, los coautores y el público saben en 1560 que lo que se cuenta en la obra vale sólo ya en los términos de la ficción y se refiere a un pasado que así queda comprometido de algún modo con la historia que se siente propia de los españoles que entonces vivían al compás de una nueva política inexorable.

Esta intención cabe en el molde de la novela, ya asegurado cuando se escribe el *Abencerraje*[57]. Por una parte, los *novellieri* italianos, Doni, Masuccio, etc., con Boccaccio en cabeza, son suficientemente conocidos y leídos, pero el arraigo de una novela española no se ha logrado, si bien se verifican tanteos de toda especie, y el mismo *Lazarillo* y este *Abencerraje* obedecen a esa intención. Antes me he referido a las características formales que arrimaban el *Abencerraje* a la novela. Ahora se trata de perseguir el proceso de novelización, o sea, la forma en que el desarrollo del contenido se integra en la unidad de la obra siguiendo el curso de la misma[58]. Una esquematización de este curso nos da la siguiente imagen:

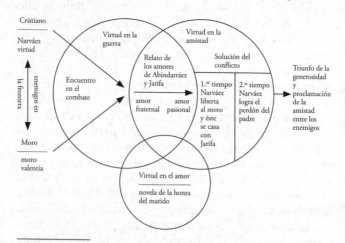

---

[57] En efecto, es la tercera de las novelas que figuran en la cronología de Jean-Michel Lasperas, *La nouvelle en Espagne au Siècle d'Or,* Montpellier, Université, 1987, pág. 15; su estudio en el conjunto en pág. 306. Un cuadro general de la nación novelística que rodea el *Abencerraje* se encuentra en Antonio Rey Hazas, «Introducción a la novela del Siglo de oro, I. (Formas de narración idealista)», *Edad de Oro* (1982), págs. 65-105.

[58] Véanse las indicaciones de J. Gimeno, 1972.

Como puede observarse en esta disposición de la obra, su autor sitúa en el curso del relato un caso de amor que sirve para que el encuentro entre los combatientes y su solución amistosa se encaucen a través del recurso amoroso, tan propio de la constitución de la novela desde el punto de vista genérico. Este caso de amor hizo que Abindarráez fuese al mismo tiempo un valiente moro y un enamorado caballero, y que por eso se trajese al relato la confidencia de sus amores con Jarifa en el punto culminante de su tensión. Los enamorados moros se comportan como pudiera hacerlo la pareja más gentil de la Cristiandad, queriendo así el autor demostrar de una manera práctica que en el amor no hay diferencias de ley. Por eso reúne en poco espacio de prosa (tal como indico puntualmente en las notas en donde se hallarán estos datos) un cúmulo de situaciones de orden sentimental, y hasta con resonancias directas en el mundo pastoril: amor entre niños, la pasión que todo lo arrolla, la separación con su cortejo de lágrimas y promesas, y finalmente el matrimonio secreto al modo de los libros de caballerías. De esta manera la novelización reúne lo más escogido de los relatos sentimentales y caballerescos, así como las necesarias notas de la Antigüedad y los ecos de la pastoril moderna; todos estos elementos proyectan el caso hacia una atemporalidad idealista a la que pone su contrapunto la historicidad con que el autor presenta el caso. Los moros del relato conocen los más delicados gestos de la espiritualidad profana del amor en la Europa del Renacimiento y son figuras de creación literaria, pero a su vez también Rodrigo de Narváez y la frontera fueron realidades absolutas de la España medieval. El encanto de la novela procede de la conjunción de fuerzas humanas que se reúnen: la gracia del suceso amoroso de los moros y la lección de generosidad del cristiano: no hay ningún perdedor. De ahí que el desarrollo del contenido del *Abencerraje* (y más en la versión del *Inventario*) represente el propósito de lograr la novelización de un suceso de la frontera, establecido con el fin de exponer el caso moral del ejercicio de la generosidad entre enemigos. Existe un evidente propósito de entretener, pues el autor del prólogo de la *Corónica*, s. a., dice que el proceso de la obra «es apacible y gracioso»; Felismena, en la *Diana,* relata la historia o acaecimiento «con muy gentil gracia» y, al final de la narración, la sabia Felicia «alabó mucho la gracia y buenas palabras con que la hermosa Felismena la había contado, y lo mismo hicieron los que estaban presentes». Pero al mismo tiempo que la obra entretiene, el lector u oyente recibe una enseñanza; esto también es propio de la novela, pues desde Boccaccio los *novellieri* pretendieron otro tanto, poniendo de manifiesto, sobre todo, la calidad de la condición humana.

Es sabido que el *Decamerón* comienza: «Umana cosa è l'avere compassione degli aflitti...»[59], y a su término el Rey concluye proclamando la intención de los narradores, pues si bien se han contado «liete novelle» (narraciones risueñas) que aparentemente pudieran inclinar al pecado, «niuno atto, niuna parola, niuna cosa né dalla vostra parte né dalla nostra ci ho conosciuta da biasimare: continua onestá, continua concordia, continua fraternal dimestichezza mi c'è paruta vedere e sentire, il che senza dubbio in onore e servigio di voi e di me m'è carissimo»[60]. Por tanto, el *servicio* se ha mantenido a lo largo de la obra, tal como ocurre en el *Abencerraje,* aunque por alguna audacia amorosa parezca lo contrario.

Y además el coautor de las *Crónicas* destaca en el prólogo que dio su libro a la imprenta «mayormente por ser obra acaescida en nuestra España, la cual caresce de cosas de aquesta calidad, más por defecto de escritores que de quien las haya obrado». De ahí la oportunidad de un caso español que se inventa con sucesos que han podido ocurrir y que recrean al tiempo que exponen una lección. En este sentido el *Abencerraje* sería una presunción del criterio novelístico

---

[59] Boccaccio, *Decameron,* ed. citada, I, pág. 99.
[60] *Ídem,* II, pág. 345.

que guió a Cervantes para escribir sus *Novelas* ejemplares; representaría así la primera novela «ejemplar» de nuestra Literatura que, recogiendo la técnica italiana de la *novella,* convenientemente adaptada a las exigencias artísticas del Renacimiento español, mantendría la persistencia del *ejemplo* que había culminado en el *Conde Lucanor,* por citar el más preeminente de los autores medievales del género.

LA CONSERVACIÓN DE LA LEY

El *Abencerraje* resulta, pues, una novela al aire de España que logra una ejemplaridad en extremo compleja a pesar de la sencillez de su exposición, sobrepasando sucesivamente los diferentes componentes aparenciales que reúne. El lector u oyente percibe que el autor quiso mostrar lo que ocurría cuando los hombres se ponían a prueba en un encuentro que, habiendo comenzado por ser bélico, acaba en amistoso. Convertir la guerra en un medio para lograr la amistad, que es una de las manifestaciones de la paz, resulta una empresa que en este caso ocurre entre caballeros en un orden de espiritualidad civil: el héroe cristiano realiza su esfuerzo para llegar a estas cimas de bondad sin que intervengan (al menos de una manera manifiesta) los factores religiosos; todo ocurre en virtud y por la virtud de un estado de conciencia que es suficiente por sí mismo. El héroe se basta por sí solo para sobreponerse a las circunstancias contrarias y su conducta enlaza el plano personal y el social de tal manera que logra establecer una armonía que implica ambas leyes, cristiana y mora, sin supeditar la una a la otra. Este imposible histórico establece una peculiar tensión que el autor percibe. Un crítico, P. N. Dunn[61], indica

---

[61] Reseña de mi libro *Cuatro textos...,* 1957, en *Bulletin of Hispanic Studies,* 36 (1959), pág. 56.

que la obra puede parecer ingenua por causa del excesivo tratamiento artístico a que se somete esta situación tan extrema; pero esto forma parte del sentido mismo de la obra que atrae sobre sí la experiencia poética de la lírica y de la épica ennoblecedoras. El autor se vale de este recurso para producir en el lector un estado espiritual de satisfacción al comprobar que el triunfo de la virtud produce estos efectos a través de la trama novelística que así se proyecta hacia una ejemplaridad ideal.

Pero el caso presenta una peculiaridad por la que esta obra sobrepasa los efectos comunes del orden novelístico con final feliz. En el *Abencerraje* se enfrentan dos héroes que son ejemplares cada uno en su «ley». Porque lo que importa es que cada uno se mantenga consecuente con los suyos: Narváez como cristiano *(criado,* o sea educado, junto a Juan II, como señala la *Crónica* de este rey) y Abindarráez como moro (del linaje granadino de los caballeros abencerrajes). La ley representa la fidelidad para con el linaje, el mantenimiento de la generación, o sea la comunidad viva que se constituye con los que participan de unas mismas creencias y siguen unas mismas costumbres desde el nacimiento hasta la muerte. En el *Cortesano* de Luis Milán (Valencia, 1561) se cuenta el caso de un moro valiente que fue cautivado en combate y los Reyes Católicos le instaban para que se convirtiese al Cristianismo; el moro dijo que haría lo que le recomendase un cristiano amigo suyo, caballero de la frontera, Manuel Ponce de León, el cual le aconsejó: «Si tú te pasas a nuestra ley y de corazón no fueres de ella, ni serás de la tuya ni de la nuestra, y quedarás hombre sin ley; no dejes de serlo, que no debe estar sin ley un momento el corazón para ser todo varón»[62]. No hay en el *Abencerraje* ningún propósito de cambiar la ley del moro

[62] Luis Milán, *Libro intitulado el Cortesano,* Madrid, Aribau y C., 1874, pág. 84.

vencido ni con ocasión de la derrota de las armas ni después, cuando la libertad de la pareja de enamorados. Los hechos ocurren manteniéndose cada uno en su ley. Se puede pertenecer a leyes distintas y, sin embargo, esforzarse porque la condición humana prevalezca bajo el signo de la virtud, al menos entre los mejores y los más calificados de cada grupo. Incluso en el caso de que una fatalidad política obligue al combate, la virtud puede actuar restableciendo lo más pronto posible la armonía entre los hombres. El patrón de la condición humana se sobrepone a los demás, y es el que sirve como índice de su calidad, y en este caso es el que vale como fundamento de la novela. Aun en el caso de que la política enfrente a los hombres (y la guerra representa uno de sus medios), las consideraciones morales deben orientar su conducta para volver a la amistad y concordia.

LA EXALTACIÓN DE LA VIRTUD

El reconocimiento de esta libertad en ambos protagonistas es lo que permite que se produzca el desarrollo argumental del *Abencerraje*. En la obra se establece un orden entre ellos, y en él ocupa el primer lugar Rodrigo de Narváez. El resorte que mueve la acción en Don Rodrigo es la virtud, palabra que llega a convertirse en la clave de la novela, tal como Villegas destaca en el preámbulo de la misma. La dificultad se encuentra en que esta misma palabra cubre un contenido semántico muy amplio[63], sobre todo en relación con la resonancia de la *Ética* de Aristóteles en la literatura europea. Así, por citar un ejemplo, esta significación civil de la virtud aparece en el *Tesoro* de Brunetto La-

---

[63] La palabra, sin problemas etimológicos, presenta desde un principio esta plétora semántica; véase José Jesús de Bustos Tovar, *Contribución al estudio del cultismo léxico medieval*, Madrid, Real Academia Española, 1974, págs. 726-727. También R. F. Gleen, 1965, págs. 202-209.

tini[64] repartida en la virtud que se aprende con la enseñanza y la virtud que se vive con las buenas costumbres. A esta virtud del espíritu hay que añadir la virtud del cuerpo, consistente en la valentía y el buen ánimo para acometer empresas como manifestación de la fuerza y disposición del hombre por su propia naturaleza; este otro significado se asegura en la *virtus corporis* latina (Cicerón, Curcio, etc.) y en la *virtù* del italiano (energía del ánimo, valor guerrero, Maquiavelo, etc.).

Esta pluralidad de significaciones se reúne en la virtud que se «retrata» en el *Abencerraje* que, desde las primeras palabras del prólogo de la obra, se dice que tiene un valor *justo* y *cierto,* o sea una apreciación firme por sí misma. Repasemos su uso: a ella debe, por de pronto, Narváez su fama: se le caracteriza enseguida como «notable en *virtud* y hechos de armas»; los de su guardia confían en él: «tenían ellos tanto fee y fuerza en la *virtud* de su capitán»; el viejo caminante del cuento de la honra lo considera como «el más honrado y *virtuoso* caballero que yo jamás vi»; el Rey moro «lo amaba por su *virtud* y buenas maneras», y Abindarráez se lo confirma: «por tu *virtud* te ama el Rey, aunque eres cristiano». Esta virtud, reconocida por los demás como signo cierto de la fama, es una condición consciente por parte del mismo Narváez, pues él dice al abencerraje: «puede más mi *virtud* que tu ruin fortuna»; esto es, frente a la violencia azarosa de los sucesos humanos, la virtud consigue

---

[64] Véase lo que escribe Latini bajo el epígrafe «De las dos maneras de virtudes»: «...son dos maneras de virtudes: la una es de entendimiento del hombre, que es sabiencia y ciencia y seso; y la otra es de moralidad, que es dicha de buenas costumbres, así como castidad y larguez y otras semejantes a estas» (II, 9); y poco después añade: «La virtud del entendimiento es engendrada y situada en el hombre por doctrina y enseñamiento [...]. La virtud de buenas costumbres nace y crece por vida buena y honesta...» (II, 10) (Brunetto Latini, *Libro del tesoro, Versión castellana de «Li Livre don Tresor»,* Madison, Hispanic Seminary of Medieval Studies, 1989, págs. 96-97, texto modernizado).

rehacer el curso de la vida de los hombres. Y aplicada a la propia persona, se dice de Narváez que «usó de gran *virtud* y valentía, pues venció su misma voluntad» cuando esta podía inclinarle a una acción injusta. Y, sobre todo, esta *virtud* se crece siempre, como lo prueba lo que dice Jarifa ante el negocio de sus amores que a Narváez «le obliga ahora a usar de mayor *virtud*». Esta virtud, fundada en la voluntad de acción, se convierte en hábito, de tal manera que obliga al que la posee a una constante superación y representa, al propio tiempo, una disposición del alma que logra determinar el mejor sentido de esta acción, sea en la guerra o sea en la paz. Por eso, en el comienzo de la obra, él propone salir de ronda por la noche, y así dice a sus hombres que él no puede «teniendo a [su] cargo tan *virtuosa* gente y tan valiente compañía» dejar pasar el tiempo en balde. La virtud inclina a la acción, bélica en un principio, y esta después adopta, por el curso de los hechos, el valor moral que crece la fama. Como ha notado W. Holzinger[65], el comportamiento de ambos protagonistas en su diversa proyección en el argumento de la obra implica la noción de una virtud de naturaleza estoica que se ofrece como una lección «civil» para la sociedad a la que pertenecen los lectores de la obra. Esto ocurre, como ya he indicado, sin que en el curso de la novela se impliquen cuestiones de orden religioso para justificar la conducta de los personajes; se trata, pues, de una obra de carácter profano en el sentido de que la cortesía de Narváez y la del Abencerraje conducen a ambos a que el episodio bélico del que han sido protagonistas se convierta en raíz de amistad, y esto pudiera entenderse como ejemplo político en una sociedad erizada por enfrentamientos muy diversos. Debe entenderse, sin embargo, que si bien en la lección no se usan razones de índole religiosa, estas van implícitas en la preparación espiritual del autor, en relación

---

[65] W. Holzinger, 1978, págs. 227-238.

con un cristianismo de fondo al que me he de referir poco después. El *Abencerraje* resulta así un libro que difunde la confianza y la benevolencia entre los lectores; el comienzo del preámbulo señala la gradación del aprecio de las cualidades humanas: «Este es un vivo retrato de virtud, liberalidad, esfuerzo, gentileza y lealtad...»[66].

La virtud ocupa el primer lugar porque dentro de ella y por ella se engendran las demás cualidades que adornan al hombre; en último término esta virtud vuelve al sentido etimológico de *virtus,* 'acción propia del *vir,*' la vía de logro del mejor hombre. Séneca, como he indicado en mi estudio[67], defendió una concepción semejante de la virtud activa: «Hoc idem virtus tibi ipsa praestabit, ut illam admireris et tamen speres»[68]; en último término este hombre que reparte beneficios, incluso a sus enemigos, se acerca a los Dioses antiguos según Séneca: «Imitemur illos; demus, etiam si multa in irritam data sint; demus nihilominus aliis, demus ipsis, apud quos jactura facta est»[69].

Este término *virtud,* tan complejo en su significación teórica, se encuentra ilustrado por la práctica de la conducta de los personajes del *Abencerraje.* La filiación senequista de estas partes de la obra que quedan más cerca de la formulación de los principios expuestos ha sido identificada por los críticos, y así lo demuestro en las notas de esta edición. También J. Gimeno Casalduero ha insistido en este aspecto y lo ha interpretado como que el autor dirige la obra no ya a un grupo

---

[66] Las citas del *Abencerraje* corresponden sucesivamente a las páginas 131, 132-133, 156, 161, 159, 149, 158, 154, 133, 129.

[67] F. López Estrada, 1957, págs. 185-195. Sobre la importancia del influjo senequista en España, véase Karl Alfred Blüher, *Séneca en España. Investigaciones sobre la recepción de Séneca en España desde el siglo XIII hasta el siglo XVII* [1969], Madrid, Gredos, 1983; sobre los moralistas que siguen a Guevara en cierto modo cercanos y paralelos al *Abencerraje,* en págs. 297-299.

[68] Séneca, *Epístola a Lucilio,* LXIV, ed. Didot, pág. 636.

[69] Séneca, *Acerca de los beneficios,* VII, XXXI, pág. 262.

social escogido, sino a todos los españoles que puedan realizar algo análogo en razón de las circunstancias de la política de la nación; por eso escribe el autor del *Abencerraje* su obra «cuando los ejércitos de España se extienden por el mundo, ... el perdonar al vencido y el hacer el bien al necesitado son precisamente la empresa más digna de un capitán español»[70]. Y basta con ser hombre para que esto, al menos potencialmente, pueda ocurrir. El conocimiento de Séneca pudo recogerlo el autor de los libros del mismo publicados en latín en este tiempo o de los florilegios que en forma de sentencias extendían en latín y en las lenguas vernáculas la doctrina del filósofo antiguo en forma desmenuzada y accesible para cualquiera; una Flor de éstas, muy cercana a las versiones del *Abencerraje*, es la mejor prueba; se trata de la traducción de las Flores *Lucii Annei Senecae,* recogidas por Erasmo, que hizo Juan Martín Cordero (Amberes, 1555); la exaltación de Séneca que hace en el prólogo es sintomática: «puedo decir con Erasmo que no hay lectura de gentil que más inflame el ánimo de un mancebo a la virtud, ni hay gentil que tanta cristiandad enseñe en sus escritos»[71].

En efecto, el sello renacentista consistió en que este Séneca representaba el acercamiento a un cristianismo de primera mano, con las virtudes resumidas en la de la caridad, sobre todo según la pasión que en ella puso San Pablo: el «perdonar y hacer bien» que Narváez proclama como objeto de su triunfo en la carta a Jarifa, y que representa el ejercicio de amor hacia los enemigos que los apóstoles Pablo y Mateo piden a los hombres[72].

Esta condición humana encauza el desarrollo de la obra y encadena la serie de motivos que se suceden en los argu-

---

[70] J. Gimeno, 1972, pág. 22.
[71] F. López Estrada, 1957, págs. 185-186; sobre las numerosas traducciones que en la primera mitad del siglo XVI difunden la obra de Séneca, véase K. A. Blüher, *Séneca en España,* ob. cit., págs. 236-238.
[72] San Pablo, Epístola a los hebreos, 13, 1; San Mateo, 5, 44.

mentos; lo que allí ocurre es posible entre hombres que estén dispuestos a ponerse a prueba. Estos límites de la obra mantienen el equilibrio entre la teoría de fondo y el desarrollo argumental de orden novelístico. Ambos factores, teoría moral y acción, se complementan y armonizan en el libro en forma muy lograda, y evitan las desviaciones que podrían hacer peligrar la unidad poética. Por eso frente a la geografía imaginada de los libros de caballerías, encontramos en el *Abencerraje* los topónimos de una Andalucía que estaban incorporados al Romancero; frente a los héroes de la leyenda lejana (los Amadises, Esplandianes y sus compañeros de ensueños), los nombres que se encuentran en las Crónicas; frente a la desmesura de combates numerosos y violentos, la escaramuza fronteriza cuyas heridas curan pronto; frente al curso desgraciado de los amores imposibles, al modo de la *Cárcel de amor,* la lograda unión de Abindarráez y Jarifa. Y, sin embargo, la experiencia de estos otros libros de ficción es un apoyo para el autor y los lectores del *Abencerraje.* Para retener la atención del lector, en la hechura del *Abencerraje* se ha preferido esta limitación: en la obra se expone el caso de un heroísmo cotidiano, al alcance —casi— de la noticia y que pudo ser vivido —independientemente de su invención— por cualquier cercano antepasado del lector. La Historia no queda lejos porque el español de la época sabe —mejor, siente— que su vida puede incorporarse a esa Historia si se lo propone en cualquiera de los lugares en que la política de Carlos V y Felipe II lo ha situado.

LA TRASCENDENCIA DE LA OBRA: SUMA DE SIGNIFICACIONES

En el examen precedente hemos establecido los datos que explican —en forma limitada siempre— la escritura del *Abencerraje.* Sin embargo, cualquier obra posee un ámbito de resonancias de muy diversa índole y que no pertenecen de un modo inmediato a su organización poética; su establecimiento no siempre resulta fácil y aun a veces es aventurado, pero es conveniente intentarlo porque así se alcanza la trascendencia cultural de la obra. En este caso se ha querido investigar si en la composición inicial de la obra pudo existir un motivo profundo en el autor y si esta intención transcendente pasó a los lectores en un grado efectivo. El caso que se planteó en el *Abencerraje* ¿pudo ser algo más que el relato de una evocación novelada del ambiente en la frontera, dentro del espíritu moralizador que corresponde al Renacimiento maduro de hacia 1560?

Establecimos que en la obra es fundamental el trato amistoso entre gentes de leyes distintas; los lectores de la obra, fuesen nobles de la corte, hidalgos que vivieran o en las grandes ciudades o en las villas o aldeas, o pueblo común que laboraba en quehaceres urbanos o campesinos —o sea, la mayoría de las gentes—, todos ellos vivían en la vecindad, más o menos cercana, de los moriscos, de cuya religiosidad cristiana desconfiaban. Y también cerca de los conversos cuya identificación resultaba más difícil de percibir, pues su asimilación era de otro orden. Para estos grupos minoritarios una novela como el *Abencerraje* en la que se consideraba la igualdad de las leyes (o creencias) resultaba confortante. Y esto ocurría tanto a los que se habían incorporado sinceramente a la nueva religiosidad, pues así sentían realzados a sus antepasados; o bien si algunos confesaban en su intimidad la otra ley, con mayor motivo. Habiendo acabado por ser el éxito del *Abencerraje* propio del pueblo español común, se trata de averiguar, en cada uno de los grupos mencionados de posibles lectores, en qué medida cada uno había contribuido a esta aceptación y los efectos culturales de la novela sobre ellos. El *Abencerraje,* al menos en su difusión inicial, pudo tener una transcendencia que iba más allá de la que correspondía a un libro de sólo ficción; el contraste que existe entre la exposición de la novela, en la que se encauza la amistad entre los cristianos (representados por un gran capitán, Narváez) y los moros (que lo son por un abencerraje, noble familia, y Jarifa), y la realidad política y social del trato cada vez más violento recibido por los moriscos es un factor que ponen de relieve A. Rey Hazas y F. Sevilla[73]; la «ejemplar lección de tolerancia religiosa» que podía leerse entre líneas en la obrita no fue aprovechada para mejorar las relaciones entre la minoría y las autoridades, pues fueron de mal en peor hasta la expulsión. Sin embargo, el acierto literario caló tan hondo que la materia novelesca que llegó a constituirse sobrepasó la misma realidad punzante de los hechos históricos y abrió una vía fluyente a través del Romancero hacia el siglo XVII.

Moriscos, conversos e hidalgos

Por otra parte, la dificultad de establecer la identidad del primer autor de la obra limita el alcance de cualquier interpretación sobre sus intenciones, independientemente del resultado obtenido. Sin embargo, existen algunos indicios que han valido para formular la hipótesis de que en la aparición de la obra pudieran haber intervenido motivos procedentes de la condición conversa de sus promotores en defensa de los moriscos. Así ocurre que el protagonista de la *Corónica,* s. a., dirige su obra a un gran señor aragonés, defensor (por motivos económicos) de los moriscos[74]. En efecto, Jerónimo Jiménez de Embún fue un noble aragonés que poseía ricas tierras pobladas por industriosos moriscos. Dentro de la política de la época, este aragonés pertenecía al bando de los que propugnaban que los moriscos permanecieran en los señoríos cultivando las tierras como venían haciéndolo consuetudinariamente; este grupo de señores se

---

[73] A. Rey Hazas y F. Sevilla Arroyo, «Contexto y punto de vista en el *Abencerraje*», 1987, pág. 426.

[74] Véase M. S. Carrasco, 1969 y 1972.

hallaba frente al bando de los que preferían la intervención de los tribunales inquisitoriales para erradicar los vestigios de la fe musulmana, sin atender a las consecuencias económicas de las medidas. Esta pugna terminó con la violencia de la expulsión, ocurrida medio siglo más tarde, en 1609, después de un forcejeo de revueltas y disensiones civiles. En las luchas políticas todo valía para el descrédito del enemigo, sobre todo en la corte de Madrid, y así encontramos que en una genealogía de los conversos de Aragón se indica la ascendencia conversa de la madre de don Jerónimo y también se insinúa una relación de linaje de su mujer, doña Blanca de Sessé, con un Carlos de Seso o Sesa que en 1559 murió quemado por la Inquisición en Valladolid. Parece que el mismo Jiménez de Embún fue poeta y formaría parte del grupo de escritores reunidos en torno de la familia del Conde de Aranda, como fueron Pedro Manuel Jiménez de Urrea (muerto hacia 1530) y de Jerónimo de Urrea (muerto hacia 1570), que sería su contemporáneo. Estas noticias, pues, acercan la *Corónica,* s. a. (y también la *Chrónica,* 1561) a este hogar de hidalgos aragoneses en donde las cuestiones de los moriscos y las implicaciones familiares de los conversos resultaban candentes[75].

La otra versión del *Abencerraje* aparece precisamente entremetida en la *Diana* de Jorge de Montemayor, un autor de humilde linaje del que se dijo que era de ascendencia conversa.

Muy poco sabemos de Villegas, que ofrece a Felipe II su miscelánea de prosa y verso propia para lectores hidalgos; sin embargo, M. Bataillon y C. Guillén[76] encuentran en el conjunto del *Inventario* unas características intelectuales semejantes a las que se atribuyen a los escritores manifiestamente conversos.

---

[75] F. López Estrada, 1959, págs. 49-53; C. Guillén, 1965, págs. 22-23.
[76] C. Guillén, 1965, págs. 192-194.

La múltiple interpretación que acompaña el significado de las obras logradamente poéticas se encuentra en el caso del *Abencerraje*. Se trata de una obra cuya lectura pudo ser acogida de buen grado y con satisfacción por los hidalgos que sostenían la política de la Monarquía. Pero, además, el mismo libro podía servir también para que se recordase al morisco, entonces sojuzgado y rebelde a la integración, que sólo medio siglo antes había sido el moro combatiente al que se otorgaban los beneficios de la amistad. C. Guillén[77] indica que no hay en la obra un esfuerzo por reconstruir la vida mora y que la realidad de los moriscos que vivían en la época no penetra en sus páginas. Pero es que el *Abencerraje* no iba destinado a ellos, sino al público español con base en la clase hidalga, cada vez más amplia y permeable en la medida en que era posible incorporar a ella —a pesar de las barreras de las pruebas de sangre— a un mayor número de gentes dispuestas a vivir al aire que les era propio en política, literatura, arte y cuantas manifestaciones pertenecían a la cultura del país. Podría pensarse en que la lectura de la obra alcanzó a predisponer al público de manera favorable hacia los que en la vida cotidiana eran los moriscos y, de manera indirecta, a mejorar la consideración de los conversos. Pero esto no pasa de ser un propósito cuya eficacia hay que entender como poco eficiente: el peso de la vida colectiva no pudo ceder ante algo tan frágil como la lectura de una novela. Es más, C. Guillén[78] apunta que el mito del caballero moro pudo tener una repercusión negativa en cuanto a la realidad social del morisco y favorecer su expulsión. Sin embargo, aun contando con este contraste, el solo planteamiento del asunto pudo ser un acicate para las conciencias; cada vez más lejos el acuciante contraste de las diferentes generaciones de origen, en algunos casos el efec-

---

[77] *Ídem,* pág. 189.
[78] *Ídem,* pág. 191.

to de la obra sobre los lectores pudo ganar favor en una interpretación de orden literario; a una novela hay que pedirle entretenimiento, y lo demás es de propina. Si la onda que habría creado la piedra al caer en el centro de la situación era corta y breve, luego se extendería haciéndose extensa y amplia, pues la obra está a favor de la consideración de la convivencia entre los hombres, aun de los más diferentes, y esto acabaría por ser un principio de la filosofía política de la Europa moderna, después de la Ilustración.

LOS DISTINTOS CIERRES DE LA OBRA

Ignoramos, al menos por ahora, las circunstancias de la vida del autor que escribiera la obra, y también la situación ideológica y social de los que rehicieron la obra en los sucesivos textos. Sin embargo, sí podemos tener en cuenta la manera que cada uno tuvo de cerrar la obrita, y con esto observamos la matización de una posible transcendencia en las distintas versiones, pues en el fin suele el autor (o retocador) dejar marcada la intención del relato. En efecto, el cierre es variado según las versiones. Así, en el *Abencerraje* de Toledo, 1561, dirigido (por la presunción que señalo) a un señor aragonés (con todas las cuestiones implicadas), se acaba la obra diciendo que el alcaide Narváez y sus escuderos «quedaron entendiendo en hazer correrías en tierra de moros, como antes solían, prósperamente». Es decir, que el aparente comienzo cronístico («Dize la Chrónica que...») se cierra con una indicación análoga en el sentido de que la acción bélica contra los moros no cesa, a pesar del hermoso paréntesis de las relaciones de Narváez con Abindarráez y Jarifa. La versión de la *Diana* (1562) revierte hacia el linaje de los Narváez contemporáneos los hechos contados: «...cuyo linaje dura hasta ahora en Antequera, correspondiendo con magníficos hechos al origen donde proceden». El *Inventario* prescinde de ambas resonancias (aire cronístico, inclinado a la valoración histórica, y perduración de la nobleza de los hechos en el linaje) e intensificando la condición humanística, deducible del hecho expuesto, se refiere a la «estrecha amistad que les duró toda la vida», palabras que son cierre de la novela. El cierre, es, por tanto, variado según las versiones, y cada una de ellas destaca una función implícita en la pluralidad del relato: por una parte, insistiendo en el tinte histórico con que se reviste la invención novelística; y por otra, situando en la contemporaneidad el reflejo del linaje heroico que es uno de los propósitos de la hidalguía.

Una y otra función compensan lo que pudiera parecer contrario a la política «oficial» de la Monarquía: lucha contra el turco (que es el árabe, activo en una contienda bélica de alcance europeo) y expulsión de los moriscos (1609).

COMPLEJIDAD DE LA OBRA

Frente a la fórmula unitaria de la Monarquía con el predominio total de la religión católica que repiten documentos y libros, la literatura produce este libro que puede interpretarse de tan diversas maneras, según se sitúe el énfasis de su recepción: libro para hidalgos que recuerdan el linaje y confían en la virtud moral de la acción de la persona, y, al mismo tiempo, libro que manifiesta una situación imposible en relación con lo que se propugna desde la política real en cuanto al reconocimiento de la validez de las dos leyes, como sería el secreto y humano designio de los moriscos y de los conversos que se hubieran sentido violentados en la elección de sus creencias[79]. Lo que nos importa destacar es cómo este *Abencerraje,* formulado inicialmente, como diré, en el género de la novela, se difunde entre los lectores y se

---

[79] Véase G. A. Shipley, 1978.

refunde dentro de uno de los libros de ficción de mayor éxito editorial de la época: la Diana de Montemayor, a partir de 1562. La difusión es de tal naturaleza que llega a convertirse en una «materia literaria», conocida por todos, que, a su vez, se vierte en el otro molde del Romancero y se repite una y otra vez, como hemos de testimoniar. En este proceso de difusión encontramos que la forma de la novela es propia para esta invención de la aventura imaginada en la realidad, como luego sería propio de la novela europea; en este caso el *Abencerraje* es el comienzo de la novela «morisca». El «realismo» ficticio enlaza en este caso con la crónica histórica, que aporta personajes más o menos fingidos y la circunstancia, profundamente española, de la frontera. Los lectores y oyentes de la novela (y de su derivación teatral) y de los romances se sienten complacidos con estas aventuras o fragmentos de ellas en una interpretación lírica, y aseguran así este ciclo literario múltiple del *Abencerraje;* y situada la obra dentro de la variedad morisca de la literatura, no hubo un enfrentamiento directo con la censura política o religiosa; y así se reúnen aquí testimonios manuscritos e impresos de la persistencia y resonancia del *Abencerraje* en los siglos XVI y XVII, y de su incorporación al folclore romanceril.

La gracia de cuanto se dice en el *Abencerraje* y de lo que se crea a su alrededor caló hondamente en el público español; cualquiera que haya sido la intención inicial de la obra, el caso es que el «autor» y sus retocadores acertaron con ella.

En la actualidad los críticos enriquecen las perspectivas del juicio sobre la interpretación del *Abencerraje.* Importa considerar el público contemporáneo, lector u oyente de la obra, en toda su variedad; al fin y al cabo, era obra de ficción y con ello se buscaba lo que era propio de estas obras, bien fuese de la novela, la comedia o los romances: el entretenimiento.

Valerse sólo de una de las interpretaciones puede conducir a una visión parcial del caso; tan limitado resulta considerar el *Abencerraje* sólo como un bello sueño poético, como entender que es sólo una subrepticia agresión literaria contra la política de un rey. La recepción de la obra en una época acontece como a través de los ojos de un insecto: es múltiple y se enfoca en cada caso según el contorno del lector. Cuanto más equívoca parezca a una consideración unitariamente lógica, más participa en la raíz del hecho poético; cuanto más lectores la hagan suya, y de la más varia manera, tanto más gana en su aprecio y difusión y en la capacidad de continuarse a través de un grupo genérico. El autor de la obra pudo haber intuido esta múltiple interpretación; su triunfo fue precisamente lograr que cifrase dentro del módulo novelístico esta atormentada realidad y que con ello se apuntase un camino de salvación moral: el personal frente al político, es decir, que triunfasen los individuos (Narváez-Abindarráez) frente a la colectividad (guerra de fronteras). Y también que otra vez el amor triunfase por encima de todo para que así se cumpliese el aserto de Virgilio: «Omnia vincit amor» *(Bucólicas,* X, 69): que los enamorados moros llegasen a cumplir su voluntad venciendo las dificultades. La lección podía aplicarse a cualquier época, y si se hacía a la propia, la más inmediata y punzante, cada cual podía extraer su lección: lograr tan buenos capitanes como Narváez para la guerra que proseguía, entonces con otros fines, o predisponer favorablemente hacia los vencidos, merecedores de honra (cualquier enemigo de la Monarquía en la política exterior, como manifestaría el cuadro de «Las lanzas» de Velázquez). O que se leyese sólo como entretenimiento de doncellas y galanes pues es un cuento de amor y guerra que ocurre en el espacio español de la frontera, más cercano e imaginable que el de los libros de caballerías.

Y como complemento para asegurar esta plural interpretación del *Abencerraje,* no conviene olvidar el barniz humanístico con que se reviste la obra; el autor conocía en grado suficiente la literatura antigua como para que apareciesen unas discretas referencias a la Mitología y, sobre todo, para valerse del fondo senequista que subrayase el espíritu aventurero con estas notas de humanidad procedentes de la filosofía de los libros y de las *Flores*. Seguía el consejo de los humanistas (sobre todo, de Erasmo) de que se buscase un entretenimiento virtuoso, y no sabemos si en su intención se encontraba la denuncia, por vía indirecta, del caso real de los moriscos y conversos mediante la reflexión general que implicaba el caso ficticio presentado.

El gran acierto del *Abencerraje* fue reunir este cúmulo de circunstancias, exponer el brillante colorido de la vida en la frontera en la madurez última de la Edad Media con un armazón ideológico del Renacimiento combinando tradición y modernidad, historia y ficción, según el gusto español. Y de esta manera triunfó en la Literatura la misma moda que lo había hecho en la vestimenta de la sociedad cortesana que, como regocijo, se vestía a la usanza mora para fingir estas mismas escaramuzas tenidas con los moros y convertidas ya, después de la caída de Granada, en juegos deportivos.

La peculiar expansión de la novela del *Abencerraje* nos obliga a que, después del texto de la versión de Villegas, situemos el romancero del Abencerraje, que es un testimonio del arraigo de la obra en estas otras manifestaciones que fragmentan y renuevan esta «materia literaria», conocida tan amplia y profundamente del público español de la época.

II
El *Abencerraje* en el Romancero

Como he indicado en la parte I, el *Abencerraje,* que adopta la exposición «novelística» que hemos mencionado, en el proceso de su expansión literaria va rodéandose de un grupo de romances que aumentan aún más la difusión de los elementos que lo integran. Esto ocurre unas veces como resultado de una recreación de la obrilla en el metro del romance en la que se conserva el orden argumental de la novela; y otras, de una manera suelta, constituyendo narraciones episódicas en romances, cuyo argumento total se supone que conocen los oyentes y lectores de los mismos. Lo que ocurre con el *Abencerraje* es un caso más del conjunto de la literatura morisca, cuya materia alimenta en abundancia el crecimiento de las formas narrativas en romance que se divulgan por la imprenta de la segunda mitad del siglo XVI.

Con el fin de ilustrar este aspecto del curso literario de la novela, formaremos un «Romancero de Abencerraje y Jarifa, y del suceso ocurrido con Rodrigo de Narváez»; no recojo en algunos casos las piezas enteras, que alargarían en exceso este volumen, por lo que en realidad esta parte es una antología del tema en la Literatura de los Siglos de

71

Oro. La constitución de este ciclo procede de la aplicación de un criterio convencional de carácter temático; sólo un erudito de nuestros días que disponga de una bibliografía adecuada y que haya juntado su material en diversas bibliotecas puede reunir un acervo de piezas de esta naturaleza. Para un oyente (o lector) del Romancero en los Siglos de Oro las relaciones entre los relatos en prosa del *Abencerraje* (o su noticia legendaria) y cualquier romance de esta clase resultarían esporádicas e incidentales, y serían sólo un hilo más de una trama compleja que mantenía la noticia de los hechos de Narváez y del enamorado abencerraje y Jarifa.

Este asunto, pues, pertenece a un contorno más amplio: el del desarrollo del Romancero durante los Siglos de Oro; dentro de este conjunto representa un aspecto parcial, pero muy adecuado para sorprender y estudiar el proceso de un motivo temático y específico, en la medida en que pudo mantener su independencia dentro de una modalidad literaria propicia, como hemos de ver, a la contaminación y a la mezcla de sus motivos argumentales como es el Romancero, ya desde sus mismos orígenes.

Por otra parte, el problema que plantean los textos en prosa antes referidos resulta en cierto modo paralelo al que ofrecen los romances: estos presentan un texto fluido por naturaleza, sin que en ellos el autor o los editores de la obra hayan puesto gran empeño en conservar el nombre del que la hizo o retocó. Por otra parte, este «nuevo» Romancero que se crea con el *Abencerraje* se relaciona con el precedente por una doble vía: puede mantener el sentido cronístico que es propio de la difusión de los romances «viejos» (y con ello enlaza con el mismo propósito de aparentar ser una crónica que encontramos en el comienzo de la novela)[80]; y por otro lado es un aspecto más de la aplicación del arte a

[80] Véase la cuestión planteada por Daniel Eisenberg, «The *romance* as seen by Cervantes», *Anuario de Filología Española*, I (1984), págs. 177-192.

la forma de los romances que aparecen impresos, en tanto las formas orales pierden prestigio entre el público[81]. La materia propia del *Abencerraje* resulta ser así una novedad que puede mantenerse en alto gracias a la difusión artística de sus elementos, prioritariamente a través de la *Diana*, y también por las ediciones iniciales y del *Inventario*. La misma confusión que nos presenta la cuestión del autor de la novela conviene con esta corriente romanceril, común en esta forma métrica y propia de la difusión de estas obras menores de la imprenta que conserva el Romancero.

La primera cuestión que se plantea es la relación que pudo haber entre el *Abencerraje* y el Romancero: *a)* ¿Hubo algún romance que fuese un precedente de la novela?; *b)* ¿Qué romances se originaron de la novela?, y *c)* ¿Qué romances presentan alguna relación lejana con la novela o con los otros romances más cercanos a ella?

ROMANCES QUE PUDIERAN HABER SIDO UN PRECEDENTE DEL «ABENCERRAJE»

No hay noticia de un romance que haya contenido la trama novelística del *Abencerraje* en conjunto antes de que se escribiese la novela. Lo más que cabría es escoger de entre los romances que puedan suponerse anteriores a su aparición una serie de motivos paralelos a los de la novela[82]. Y en este caso los datos se refieren, sobre todo, a los moros enamorados. Los libros de sentido histórico (crónicas y re-

---

[81] Es un episodio que viene a unirse a lo que refiere Maxime Chevalier, «La fortune du *romancero* ancien (fin du XV s.-début du XVII)», *Bulletin Hispanique*, 90 (1988), págs. 187-195. El romancero morisco como una modalidad del romancero nuevo desarrolló sus propios usos retóricos que eran el signo lingüístico de la modalidad; véase su estudio en Amelia García Valdecasas, «La retórica del romancero morisco», *Revista de Literatura*, 49 (1987), págs. 23-71.

[82] F. López Estrada, 1957, págs. 91-121.

latos de hechos sobre reyes y caballeros) anteriores al siglo XVI preparan ya la posible consideración de un tipo novelesco como es Abindarráez; y esto ocurre de manera que, como he dicho, la «historia» sobre un moro valiente y leal a su palabra, que se comporta como un caballero y se mueve por motivos de amor no resultaría ni extraño ni anómalo para los españoles que conociesen la fama de los que habían sido sus enemigos en el combate. Luego, la siguiente consideración del romancero, la épica culta y la novela del siglo XVI ofrecían un mosaico de situaciones que convienen con el caso que se desarrolla en la trama específica del *Abencerraje*. El mismo comienzo de la novela con un aspecto de apariencia cronística es un testimonio de este acercamiento entre la fama «histórica» (en relación con un suceso real, documentado) y la novela que se inventa sobre esa misma fama y en torno de personajes identificables. El romance haría lo mismo, a su manera.

Otro aspecto que conviene tener en cuenta es que la retórica que desarrollaría el romancero morisco, conviviendo en parte con el curso del género, intensifica una serie de notas preciosistas que se insinúan en el *Abencerraje* de Villegas y crecen en la versión de Montemayor, acordes en este caso con el manierismo propio de la *Diana* que la contiene. Personaje y expresión están en la misma línea, contando con la diversidad de versiones del argumento, que aquí estudiamos en relación con la novelita de Villegas. Todo queda, pues, dispuesto para que en el curso del siglo XVI se escriban las unevas versiones romanceriles sobre la materia del *Abencerraje*. La desgracia de los abencerrajes (contando con la dificultad de saber cuál de ellas pudo ser) resulta la nota más destacada; existe sobre este asunto un romance que puede reconstruirse gracias a una glosa de Lucas Rodríguez (R. IV). Por el número de veces que se reprodujo y la mención que de una versión parecida hizo Pérez de Hita calificándolo como «antiguo», estimo que no es aventurado entender que un romance de un contenido parecido (y acaso más completo, pues este de la glosa parece parcial) refiriese la desgracia de los abencerrajes. Villegas y otros autores se refieren a la desgracia como a un asunto común y conocido, y parece entonces que el Romancero habría sido la mejor vía de difusión. Sin embargo, Menéndez Pidal[83] no cree que sea viejo. Otro romance sobre el mismo asunto aparece en las *Guerras Civiles* (R. V), pero este parece escrito por el propio Pérez de Hita, si bien el autor dice antes de su inclusión: «se dijo este romance que así comienza y dice...», como si el romance fuese independiente de la obra.

Por otra parte, el público que leyó las primeras ediciones de la novela en sus diversas versiones es indudable que relacionó a Abindarráez con los otros moros del Romancero, tan en boga entonces entre el pueblo español. Esta disposición de ánimo, que hizo posible la dignificación literaria del moro ya desde los primeros romances de la frontera, actuó también en este caso. Menéndez Pidal[84] sostiene que por lo menos una tercera parte de los mismos (en lo que se nos conserva) están en todo o en parte escritos desde el campo de los moros; o, por lo menos, considerando los hechos en lo que les afecta, en particular en cuanto a las manifestaciones de la pena y del dolor, sin tener en cuenta lo que los mismos afectan a los cristianos implicados en el asunto. La función del monólogo y del diálogo, tan propios del estilo romanceril, ofreció ocasión para que este punto de vista personal del moro se manifestase lo mismo en los hechos de la guerra que en los del amor. El moro que suspira y llora aparece en esta tradición romanceril, así como la riqueza de Granada, y en particular la vistosidad en los atuendos de los caballeros moros, copiada por los españoles, como lo demuestra el testimonio del señor de Montigny (1501), que se recoge en el apéndice II.

---

[83] R. Menéndez Pidal, 1953, II, pág. 131.
[84] *Ídem*, II, pág. 10.

Por otra parte, los libros de caballerías (y en particular los del ciclo carolingio) y las versiones de sus episodios en el Romancero entretejieron consideraciones de índole semejante con respecto del moro noble, cuya modalidad más acabada e influyente en Europa se encuentra en los paganos del poema épico *Orlando furioso,* de Ludovico Ariosto (versión definitiva de 1532) y traducido al español por Hernando Alcocer, que lo imprimió precisamente en Toledo, y en 1550, en la imprenta de un Juan Ferrer. Un probable sucesor del mismo, Miguel Ferrer, fue el que entre las primeras obras que compuso publicó la edición de la *Chrónica* que queda dicha. Por muchos caminos los lectores del *Abencerraje* pudieron establecer una cierta relación entre los personajes de la novela y los otros moros literarios del Romancero, y también con los de la épica culta.

Del caso de la generosidad de Narváez con un moro no queda noticia en ningún romance primitivo. De todas maneras el primer alcaide antequerano aparece en el romance de Ben Zulema: «De Granada partió el moro / que se llama Ben Zulema»[85]; y si se encuentra en este fronterizo, que parece viejo, también pudo haberse hallado en otros.

El «Abencerraje» y el Romancero posterior a la novela

La consideración del grupo de romances que se puede haber originado del *Abencerraje* se establece sobre la historia general del Romancero y, como se verá, es uno de los aspectos más complejos de nuestra literatura; dentro de esta historia estos romances pertenecen al ciclo del Romancero llamado nuevo, puesto que son posteriores a su fuente que aparece hacia 1560. No hay que desechar, sin embar-

---

[85] Véase Francisco López Estrada, «Sobre el romance fronterizo de Ben Zulema», *Boletín de la Real Academia Española,* 38 (1958), págs. 421-428.

go, cualquier relación con los romances del grupo anterior, con los que coinciden dentro de un mismo cauce, tanto para sus autores como para el público. La separación entre romances viejos y nuevos resulta a veces imposible de deslindar, pues nunca podemos asegurar la cronología de cada romance en relación con los otros, y así ocurre que las versiones del uno se enmarañan con las del otro en el azar de la documentación literaria. Los romances nuevos, además de su existencia como pliegos sueltos y como partes de los mismos, suelen encontrarse reunidos en libros ocasionales cuyo contenido juntó un compilador de gustos no siempre afortunados; los libreros afanosos de ganancia repitieron estas ediciones de fácil venta. Los autores de los romances nuevos, por seguir los hábitos de los divulgadores del Romancero anterior, pusieron poco cuidado en declarar su nombre, y por eso los tales autores nos son en gran parte desconocidos; es probable, sin embargo, que en el tiempo en que estuvieron de moda, el público, al menos el aficionado a esta poesía, supiese quiénes eran. Se reúnen en su cultivo grandes maestros y poetas de escasa cuantía, y representaron la poesía de cultivo más sencillo y más accesible a los públicos, aun contando con que sus autores en la redacción se acomodasen a la moda poética de la época, cada vez más inclinada a extremosidades lingüísticas y conceptuales.

Los romances derivados del *Abencerraje* se encuentran dentro de la división de los moriscos[86]. El Romancero morisco fue, con el pastoril, poesía de moda entre los años de 1580 a 1600, o sea los mismos en que se desarrolla y triunfa de una manera incontenible la comedia española

---

[86] Sobre el romancero morisco, además de las referencias de su encuadre en la historia del Romancero hispánico, de Menéndez Pidal, véase José Fradejas Lebrero, «El Romancero morisco», *Cuadernos de la Biblioteca española de Tetuán,* 2 (1964), págs. 39-74; y también los estudios que iremos citando de María Soledad Carrasco y Amelia García Valdecasas.

que impulsa Lope de Vega. Las obras de ambos Romanceros, el morisco y el pastoril, se reunieron en colecciones encabezadas por primorosos títulos (*Rosas, Flores, Primaveras,* etc.); de ambos el morisco resultó ser el primero que fue decayendo en el gusto del público. Menéndez Pidal[87] señala que el morisco predominó primero (el 40 por 100 en la *Primera Parte de la Flor...,* 1589) y después fue decreciendo cada vez más hasta principios del siglo XVII. Este Romancero morisco recreó la evocación de una Granada luminosa, llena de palacios y jardines, con moros valientes y apasionados, entre los cuales se alinea nuestro abencerraje. Ha observado Menéndez Pidal[88] que estos romances se desarrollaron en grupos que tienen en común uno o varios personajes, y hay que decir que pocos moros hubo para constituir una de estas series como Abindarráez y Jarifa. Narváez no aparece, sin embargo, en un primer término y en general es un personaje complementario; con ello el gusto del Romancero rompe la unidad estructural del *Abencerraje* novelesco.

En el caso del Romancero del *Abencerraje,* la problemática cuestión de la historicidad de la anécdota de fondo se pierde para dejar paso a una consideración de índole diferente: los personajes del romance sirven para representar a determinadas personas históricas, con lo que la pieza pasa a tener una clave para su interpretación; esto puede ocurrir en la misma realidad vivida, y entonces la anécdota es un episodio de corte o relativo a los amores de un poeta o de cualquier persona destacada. O bien, si la anécdota se encuentra entremetida en una narración más extensa, el autor se cuida de que conozcamos desde dentro del argumento la interpretación de esta clave. Sin embargo, la pieza con este contenido de clave tiene además su propio valor absoluto,

---

[87] R. Menéndez Pidal, 1953, II, pág. 125.
[88] *Ídem,* II, pág. 130.

y lo más frecuente es que tengamos que considerarla desde su índole poética, pues casi siempre se nos ha perdido la interpretación histórica de la clave.

ROMANCES QUE TRATAN EL ASUNTO COMPLETO DEL «ABENCERRAJE»

La difusión del *Abencerraje,* sobre todo desde su incorporación a la *Diana,* hizo que la anécdota de Narváez y el enamorado moro y Jarifa se extendiese por el pueblo español e incorporase este asunto al fondo de su tradición literaria. Por este motivo el caso del *Abencerraje* resultó presa fácil de los romancistas que con habilidad vertían cualquier tema conocido del público a esta especie de poesía, cuyo metro tan ágil y flexible era el más cercano al libre discurrir de la prosa. Estos versificadores conocían el estilo del romance tradicional y su intento fue renovarlo según los gustos del público; representaron una especie de transición entre el estilo del Romancero viejo y el del nuevo. Procuran realizar una obra adecuada para una lectura ante oyentes (o personal) en la que predomina la narración de unos hechos conocidos, con argumentos más o menos históricos, buscando en las Crónicas y otros libros de historia los sucesos más adecuados para esta especie de romances. A veces rehacen en forma más verosímil y orgánica los romances viejos y también desarrollan algunos asuntos de moda entre el público, como sería el caso de Abindarráez.

Así tenemos que el impresor y poeta Juan Timoneda puso muy pronto su atención en el *Abencerraje* e incluyó una versión completa de la obra en su *Rosa de amores* (1573), hecha sobre la edición de las *Corónica* o *Chrónica.* No es una pieza muy afortunada y se echa de ver que sigue muy de cerca el modelo, aunque acorte la parte referente al elogio de los abencerrajes (probablemente por parecerle asun-

79

to muy manido), y añada, después de la llegada del moro a su dama, la relación de una cena antes de las bodas. Con todo, Timoneda salva con decoro la labor de romanceamiento y sabe darle el tono adecuado para que la nueva presentación del asunto guste entre el público común al que iba dirigido la impresión. He elegido para la Antología el trozo de la descripción de Abindarráez cuando va camino de las bodas; intensificando el lujo del modelo, acrecienta aún más las notas de la riqueza y de la gallardía del moro (R. III). También escojo el fragmento de la juventud del abencerraje y sus amores primero fraternales con Jarifa hasta descubrir que no son hermanos (R. X). Ambos trozos son de buena hechura y muestran el gusto indicado; «interminable y prosaico» le pareció a Menéndez Pelayo[89], pero hay que contar con que el autor quiso versificar la obra completa, que el prosaísmo era el estilo propio de esta clase de romances y que también de algún modo se había de echar de ver que procedía de una novela.

La otra versión romancística que recoge el *Abencerraje* completo fue obra de Pedro de Padilla; se atiene, sobre todo, a la versión de la *Diana*. El traslado de Padilla adolece de falta de vuelo poético, pues se ciñe más al relato de los hechos que al tono emotivo de la novela. De esta versión he escogido el comienzo de la obra (R. I) y su terminación (R. XIX) en las que se muestra la mediocre versificación del autor.

Estas versiones completas corresponden al periodo del Romancero en que los poetas escriben obras extensas, más cerca del prosaísmo narrativo que del aliento poético.

---

[89] Marcelino Menéndez Pelayo, *Antología de poetas líricos castellanos,* en *O. C.,* VII, pág. 161.

La gran difusión de la moda morisca aceleró el proceso de la incorporación de la materia literaria del *Abencerraje* al Romancero; por los años de 1580 a 1600 esta integración se había logrado con plenitud. Por eso ocurrió que una gran parte del pueblo español conocía los personajes y el asunto de nuestra obra de tal manera que pudieron escribirse romances sobre una parte de la misma que los oyentes y lectores identificaban como el trozo de un conjunto que era conocido de todos. La parcelación del argumento representaba a un tiempo la creación de una nueva pieza y la rememoración del conjunto; este proceso se vio apoyado por la tendencia general del Romancero que Menéndez Pidal ha destacado con el nombre de fragmentismo[90].

Entre las primeras obras de este grupo se encuentran algunas del *Romancero historiado,* de Lucas Rodríguez, «escritor de la Universidad de Alcalá de Henares» (Alcalá, 1579, reimpreso en 1582, 1584 y 1585). El mismo título de *historiado* señala el carácter de los romances; es una obra sustancialmente narrativa y entre otros muchos romances de asunto antiguo y medieval, viejos y renovados, históricos y de ficción, figuran algunos de moros, y entre ellos, cuatro del ciclo del *Abencerraje:* un romance de don Rodrigo de Narváez y del moro Abindarráez, con el episodio de la lucha y derrota del moro: «Por una verde espesura»; otro de Abindarráez sobre los amores juveniles con Jarifa y la despedida de los amantes («Crióse el Abencerraje»); otro de la batalla que Abindarráez tuvo con don Rodrigo, yendo una

---

[90] R. Menéndez Pidal, 1953, capítulo tercero y en especial, I, págs. 71-75.

noche a ver a Jarifa, que casi es una versión de la obra («Al campo sale Narváez»), y otro de Fátima y Jarifa sobre los celos por Abindarráez («Cuando el rubicundo Febo»). Lucas Rodríguez es un autor comedido y discreto, aunque a veces caía en engolamientos humanísticos; poseyó el sentido literario de la composición historial y en él se observan algunos rasgos de la corriente que orienta luego estas obras hacia situaciones de carácter sentimental, tratadas con un sentido lírico. He elegido dos para la Antología: uno es el comienzo del tercero de los mencionados (R. II), que tiene indudable brío; y el otro, que doy completo (R. VI), el de los amores juveniles, acaso el más característico de todos.

En este mismo grupo puede colocarse otro romance que curiosamente aparece en un libro de pastores, *La enamorada Elisea*, 1594, de Jerónimo de Covarrubias, que comienza: «En el tiempo en que reinaba / Fernando, el bravo guerrero»[91]. Es un romance parcial (intento parece de uno completo) que sigue muy de cerca el argumento hasta la derrota del moro; es obra floja y desgarbada. El mismo autor escribió un soneto sobre el doble cautiverio del abencerraje: el del cuerpo por Narváez y el del alma por Jarifa:

> De la cruel batalla peligrosa
> el fuerte Abindarráez, el pagano,
> cautivo sale: el cuerpo, de un cristiano,
> y el alma, de una mora muy hermosa.
>
> Vencido cuerpo y alma, no reposa
> y siente la prisión del cuerpo humano
> por sólo el bien que pierde soberano
> en ver que era esperado de su diosa.

---

[91] Jerónimo de Covarrubias Herrera, *La enamorada Elisea,* Valladolid, L. Delgado, 1594, fols. 245v-247.

Y así con gran tristeza caminaba,
ajeno de placer y con tormento,
metido en un profundo pensamiento

que el fuerte corazón le acobardaba.
El alma no, que con Jarifa estaba,
llorando el desgraciado apartamiento.

En la misma obra, además del romance antes referido,
escribe una «Respuesta a Jarifa de su Abindarráez» en redondillas, en la que supone que está preso de los cristianos
y escribe a su mora: «Tu carta, Jarifa mía...»[92]. Dos cartas
en sendos romances anónimos, una de Abindarráez a Jarifa
(R. VIIa) y otra de Jarifa a Abindarráez (R. VIIb) son muestras de esta desviación epistolar del argumento.

Por esta vía sigue creciendo el romancero de Abindarráez y
Jarifa, y así hallamos las diversas piezas que con más o menos
fortuna van urdiendo una y otra vez en el verso la conocida
trama de la obra en prosa, rellenando situaciones que la novela sólo apunta, prolongando otras en forma cada vez más libre
para poder lograr así una relativa originalidad. Así ocurre con
el tema de la espera de los amantes durante la separación: en
un romance, procedente de un manuscrito, se mantiene al
vivo el tono discursivo de una versión popular (R. VIII) y en
otro es ella la que espera hasta que el moro a su llegada le
cuenta la derrota (R. XVIII); este otro obtuvo más difusión por
la imprenta adquiriendo una cierta popularidad, pues es una
buena pieza con soltura y gracia. La inquietud de la espera,
seguida del alborozo de la llegada es el motivo de otro (R. XVI),
versión ágil, conservada en un manuscrito.

El curso de estos romances suele ser fluido; en algunos
casos se observa la tendencia a agrupar su continuidad en
unidades internas de cuatro versos, con estructura sintáctica

---

[92] *Ídem*, fols. 254v-255, el soneto; y 217-219, la respuesta en redondillas.

independiente, aunque esto no siempre se logra por entero. El estilo se mantiene aún cerca de la línea sencilla del romance tradicional, si bien se va acusando un cierto aire sentimental que acerca estas obras al preciosismo de la lírica cancioneril, aunque todavía de una forma tenue y comedida.

EL «ABENCERRAJE» VERTIDO EN ROMANCES LÍRICOS: LETRA, MÚSICA Y DANZA

Dentro del cauce del Romancero nuevo las piezas con el tema del *Abencerraje* participaron de las condiciones musicales de esta especie poética en sus varias modalidades. Si en algunos de los romances citados se percibe el propósito de que resulten adecuados para la recitación oral, en otros, sobre todo en los posteriores, se nota el acomodo para su posible interpretación melódica. El fragmentismo mencionado antes resulta también adecuado a las condiciones de la obra lírico-musical. Y esto hubo de hacerse eligiendo las partes que mejor se acomodaban a esta intención. En el proceso desde el romance oral hacia el romance como canción lírica, crece la compenetración artística entre el texto y la melodía, y esto en ocasiones pudo afectar de un modo directo a la letra de la pieza, esto es, a su aspecto literario. Los músicos solían adaptar los romances a las melodías sin importarles cercenar o añadir lo que les conviniese a la letra o texto de los poetas. Los compiladores de los romances se refieren con frecuencia a la pugna entre unos y otros.

Esto se dio también en el romancero del *Abencerraje* y, por tanto, estos romances se cantaron como piezas líricas, y entonces el mismo canto pudo orientar su naturaleza poética. Para que se vea esto claro, he elegido dos ejemplos: uno es un trozo de una obra de Salinas que está contenido en una rara obra manuscrita, de carácter genealógico, poco conocida; y otro es un fragmento de la *Dorotea*, de Lope, obra muy difundida y comentada por la crítica.

En el fragmento de Salinas (R. XIII, XIVa y b, y XV), en el curso de una historia amorosa, hay ocasión para que se relate la situación de los protagonistas que en un punto determinado ilustra muy bien lo que sería el romance como canción lírica. Después de un banquete cortesano, celebrado en un lugar escogido del campo, una dama canta una «historia de moro enamorado», y lo hace en tres veces, en tres romances sueltos, sin que la acabe por completo. La misma cantora avisa que la historia era antigua, aunque ella la tenía sacada «a lo nuevo».

Por fortuna, en el cancionero llamado Classense de Ravenna[93], copiado en Madrid en 1589, se nos conserva la versión de un romance (R. XIVb) que se relaciona con el XIVa; como la cantora precisó que esta historia de moro enamorado «aunque antigua, la tenía sacada a lo nuevo», cabe pensar que este otro romance acaso pudiera ser un precedente del que renueva esta cantora. Como puede deducirse de este caso, no sólo el contenido del *Abencerraje* se reitera en estos romances, sino que también se teje una red argumental con varios de ellos que reiteran un mismo episodio. En el caso del manuscrito de la casa de Arteaga el poeta rehízo la materia y desvió el curso hacia una serie de quintillas, en cuyos versos iniciales puso en acróstico A-INTENCIÓN-DE-LA-SEN-ORA DO-NA LEONOR DE ARTY-AGA, en homenaje a una dama de la casa de Arteaga y Leiva por la que se escribe la obra. En el romance anterior (R. XIII) la desviación es hacia las liras, y en los siguientes (R. XIVa y XV) es hacia las quintillas otra vez. De esta manera, las versiones que en las casas señoriales podían oírse, mostraban un enriquecimiento en la métrica de la narración en relación con la música que acompañaría estas versiones renovadas de una historia que en sus líneas esenciales era conocida de todos.

---

[93] Descrito por José Simón Díaz, *Bibliografía de la literatura hispánica*, Madrid, CSIC, 1955, IV, núm. 78, págs. 70-74; el romance aquí referido es el núm. 47.

Parecido es el caso de Lope, que en su *Dorotea* intercala un romance sobre nuestro asunto (R. XIIa). La *Dorotea* es obra que se publicó en 1632, cuando la moda del Romancero morisco había cedido, pero Lope en el desarrollo de su argumento tiene en cuenta los hechos sucedidos en 1583 y años siguientes; y esos sí que eran tiempos de moda para la poesía morisca y muy propios para que en ellos se hubiese escrito este romance, bien que se hubiese redactado entonces o que se fingiese después para evocar el ambiente literario de aquellos años. Un hilo más de la complejísima *Dorotea*[94], un romance de entre los muchos que hizo Lope y que se desprendió de su obra, como tantos otros, sin el nombre del autor, esta vez por su voluntad. Es un caso más en que Lope se vale de estos artificios poéticos, moriscos o pastoriles, para revestir de cortesanía las menudas anécdotas de sus amores. Francisco Roiz Lobo declara el procedimiento de una manera patente: el poeta finge marcharse a defender a las musas y se despide de los motivos poéticos más comunes en su época:

> Adiós, plumas y medallas,
> adargas, lanzas, caballos,
> capellares y marlotas,
> disfraces de cortesanos.
>   Adiós, chozas pastoriles,
> zurrón, pellico y cayado...
> que ya no sé si me veréis
> de pastor o de pagano...[95].

---

[94] Para la relación entre la vida de Lope y la obra en la *Dorotea,* véase Alan S. Trueblood, *Experience and Artistic Expression in Lope de Vega: The Making of La Dorotea,* Cambridge, Mass., Harvard University Press, 1974, págs. 58-72. También Antonio Carreño, *El Romancero lírico de Lope de Vega,* Madrid, Gredos, 1979, págs. 55-116.

[95] Es el romance que comienza: «Espérese un poco, Azarque...»; Francisco Roiz (o Rodrigues) Lobo, *Primeyra e segunda Parte dos romances,* Coimbra, 1596, ed. de Antonio Pérez Gómez, Col. «Duque y Marqués», XVI, Valencia, Castalia, 1960, pág. 99.

Esto mismo había ocurrido muchas veces y la gran dificultad consiste entonces en que la anécdota de fondo (en este caso, el *Abencerraje)* y el caso personal se entretejen de tal forma que es muy difícil averiguar qué es lo que realmente pasó; entonces los hechos del romance se van alejando de su relación con la tradición literaria a que pertenecen y acaban por ser sólo el designio personal del poeta. Es posible que los contemporáneos (o al menos, el grupo de sus amigos) conociesen la clave del romance, pero para un gran número de personas sólo quedaba la obra poética como tal. En el caso a que me refiero de la *Dorotea,* el gran poeta crea una obra afortunada, hábilmente encuadrada. (Inmediato, como contraste, sitúo otra versión del mismo asunto, R. xiib).

A su lado pueden figurar con decoro los otros romances que Lope escribió en el curso de su comedia morisca *El remedio en la desdicha* y que son tres[96]. Por ellos se puede testimoniar que no en vano Lope había sido el gran impulsor del Romancero nuevo; J. F. Montesinos, en su estudio de los intrincados problemas de esta poesía, escribe: «No sin misterio, los mayores artífices del segundo Siglo de Oro serán los creadores del Romancero nuevo en sus dos fases: Lope y Góngora primeramente, y después Quevedo, comenzarán su vida artística como grandes creadores de romances»[97]. Lope inventa en el caso de la *Dorotea* el que

---

[96] Véase la edición Lope de Vega, *El remedio en la desdicha. Comedia morisca sobre el Abencerraje,* Barcelona, Promociones y Publicaciones Universitarias, 1991, ed. de Francisco López Estrada y María Teresa López García-Berdoy. Los romances son: el relato del moro a Narváez «Famoso alcaide de Álora...», acto II, vv. 1937-2052, págs. 152-154; el recuerdo lírico de los amores de los jóvenes: «Crióse el Abindarráez...», acto III, vv. 2458-2481, págs. 169-170; y el relato de la libertad que Narváez dio al Abencerraje, acto III, vv. 2590-2673, págs. 173-175. En la antología incluyo los dos últimos, que son respectivamente R. IX y R. XI.

[97] José Fernández Montesinos, «Algunos problemas del Romancero nuevo» [1953], *Ensayos y estudios de literatura española,* Madrid, Revista de Occidente, 1970, pág. 111.

don Bela, el indiano que compra el amor de Dorotea, pida a ella que cante un romance (R. XIIa) en el arpa; la conversación recae en el carácter musical de la pieza, que ella no comienza a entonar hasta que el instrumento se halla bien afinado. Después de oír la canción, don Bela pide que le escriban en un papel la poesía cantada, tal como se habría hecho en tantas ocasiones en las mismas circunstancias. Dorotea en la conversación calla discretamente el autor del romance (y en esto coincide con la tendencia al anonimato de esta poesía, si bien en este caso por razones propias), pero la referencia a los «hombres despeñados» que son los poetas resulta orientadora; por otra parte, la indicación de que el autor de los versos está en Sevilla, puede ponerse en relación con el hecho de que don Fernando (Lope) se halle en la ficción poética de la tragicomedia en aquella ciudad[98].

Otro testimonio de gran interés, pero por desgracia sin textos intercalados, procede de *El celoso extremeño,* de Cervantes (1606)[99]; pieza impresa después con las demás *Novelas ejemplares* (1613), recoge, sin embargo, juicios de algún tiempo atrás, y en el curso de la obra el avispado Loaysa promete enseñar al inocentón negro Luis cómo hacerse un gran músico: «Todas esas son aire (le dice refiriéndose a otras tonadas que el negro sabe cantar) para las que yo os sabría enseñar, porque sé todas las del moro Abindarráez con las de su dama Jarifa..., y esto enseño con tales modos y con tanta facilidad, que aunque no os deis priesa a aprender, apenas habréis comido tres o cuatro moyos de sal, cuando ya os veáis músico corriente y moliente en todo género de guitarra.»

---

[98] En el acto II, escena segunda.

[99] Rodríguez Marín sitúa hacia 1606 la fecha en que el licenciado sevillano Francisco de Porras de la Cámara incluyó en su *Compilación* esta obra de Cervantes; véase Francisco Rodríguez Marín, *El Loaysa de «El celoso extremeño»*, Sevilla, F. de P. Díaz, 1901, pág. 50.

Tanto en la literatura idealista de la obra de Salinas (reflejo de medios sociales cortesanos) como en la obra celestinesca de Lope (situada en la vida literaria de Madrid), al igual que en la novela de Cervantes (que se radica en la Sevilla de los pícaros), hallamos esta presencia de los romances de Abindarráez y la hermosa Jarifa en su versión musical, testimonio de la pertinente difusión de la obra en las diferentes clases sociales; por esta especie de plebiscito queda probado el triunfo de estas canciones por entre el pueblo español.

Y no sólo la música sirvió de acompañamiento a las aventuras del *Abencerraje*, sino también la danza: el 6 de mayo de 1579 Jusepe de las Cuevas se obligó por escritura con la villa de Madrid «de hacer una danza en que se representó la batalla de Rodrigo de Narváez con el moro Abindarráez para el día del Santísimo»[100].

Uno de los efectos de la fusión de música y letra fue que los autores se valieron de los recursos estilísticos adecuados a las letras destinadas al canto, sobre todo las repeticiones que coincidían con los movimientos análogos de la melodía. Esto se encuentra (o al menos resulta allí aplicable) en un romance en el que la calidad lírica del argumento resulta intensificada por la repetición de las dos palabras que son el eje de la novela: *cautivo* y *enamorado*. De este romance hay dos versiones; la primera (R. XVIIa) procede de una copia del Cancionero Classense; y la segunda (R. XVIIb), de un pliego de la Universidad de Gottingen. La del Cancionero de la Biblioteca Classense es más completa y aísla del relato de la novela el motivo de los amores del moro y de su desgraciada prisión que lo convierten en *cautivo y enamorado*, verso que se repite con insistencia como estribillo que, como dije, destaca la clave del suceso contado. Con esto el

---

[100] Cristóbal Pérez Pastor, *Nuevos datos acerca del histrionismo español*, Madrid, Imp. Española, 1901, pág. 12.

tono lírico del relato se intensifica, y es de creer que este recurso se vería apoyado por la música en una interpretación cantada de la pieza, en la que los instrumentos harían por destacar este verso.

La otra versión (R. XVIIb), por el contrario, es más breve y pudo ser una abreviación de la anterior; no es, sin embargo, una reducción simple, pues la cuarteta de los versos 13-16 podría intercalarse entre la 12 y la 13 de la versión *a* para que quede más completa.

Otro caso parecido se encuentra en el romance sobre los enredados amores y celos de Jarifa y Fátima con respecto a Abindarráez (del que luego hablaré) que comienza: «Mira, Fátima, la fiesta»[101]. El romance repite el estribillo *celosa y enamorada* o *celosa y desesperada* cada cuatro versos, y de este modo crece el valor lírico de la pieza. El romance es endeble y confuso, probablemente por este acomodo a la música.

VERSIONES DESVIADAS DEL «ABENCERRAJE»

La creación de otra serie de romances de este grupo del *Abencerraje* obedece a la manifiesta fuerza del Romancero morisco; el gran número de piezas que se escribe en el mismo hace necesaria la reiteración y aun repetición de motivos, argumentos y personajes, y esto ocurre de tal suerte que estos nuevos romances se salen ya de una posible afinidad con la novela. Más allá de los casos anteriormente expuestos, aparecen otros romances que son ya libres creacio-

---

[101] Antonio Rodríguez-Moñino, *Los Cancionerillos de Munich (1598-1602) y las series valencianas del Romancero nuevo,* Madrid, Estudios bibliográficos, 1963, pág. 266, romance 153; el pliego que lo contiene se titula: *Cuarto cuaderno de varios romances, los más modernos que hasta hoy se han cantado,* lo que demuestra que era una pieza de moda en 1597, fecha de la publicación.

nes sin relación con la novela o muy leve. La unidad del *Abencerraje* queda deshecha, perdidos el carácter fronterizo de la anécdota y la valoración ponderada del cristiano y del moro en una noble competencia de generosidad, y también la relación con la tragedia de los abencerrajes. En estas versiones la acción apenas cuenta y los personajes con sus quejas pasan a un primer término. Ocurre entonces que el repetido uso de los nombres de Abindarráez y Jarifa hace imposible su identificación con los protagonistas del *Abencerraje*. Jarifa y el abencerraje resultan ser nombres aplicables a otros personajes distintos, creándose una confusión con la que cuentan los autores. Estos otros romances son predominantemente amorosos y desde la frontera trasladan el escenario del argumento al ambiente fastuoso de la rica Granada. Algunas de estas piezas se encuentran en confluencia con otro romance, el ya citado de la toma de Antequera, que comienza «La mañana de San Juan»[102]. El comienzo de este romance (R. XXII), una brillante descripción de unas justas en la vega de Granada, se prosigue no con el mensajero que anuncia la pérdida de Antequera, sino con un discreteo entre Fátima y Jarifa a propósito de sus amores. Así se forma la desviación de este romance fronterizo hacia el asunto de los celos, que adopta diversos cauces: en un pliego de Granada, 1573[103], Jarifa se muestra desdeñosa, en tanto que Fátima declara su amor por Abindarráez; en otra versión de Barcelona, 1583[104], se halla un texto truncado del anterior; y el romance de Lucas Rodríguez[105], antes citado («Cuando el rubicundo Apolo»), es una escena de celos entre las dos.

---

[102] F. López Estrada, 1955, págs. 33-59.
[103] Es un pliego de la Universidad de Cracovia que comienza: «La mañana de San Juan / al tiempo que alboreaba.»
[104] *Ídem*, pág. 34; procede de la *Silva de varios romances recopilados*, Barcelona, Sendrat, 1582, y comienza lo mismo que el anterior.
[105] *Ídem*, págs. 35-36; varias veces impreso.

De este asunto se ocupó Pedro de Padilla (*Thesoro de varias poesías,* Madrid, 1580) en un «romance de los celos que Fátima pidió a Jarifa»[106], sin que el resultado de la conversación aclare nada el asunto, pues Jarifa se sale dejando a la otra con la palabra en la boca. Mucho más movido es otro romance del mismo libro[107] en el que se describe brillantemente una fiesta en la que Fátima y Jarifa salen a bailar unas zambras, picadas las dos sobre cuál de ellas lo hace mejor; otro moro, Abenzaide, se enamora de Jarifa, en tanto Abindarráez es el favorecido de Fátima. Sin embargo, le entran celos de los servicios de Abenzaide por Fátima, y los dos moros están a punto de llegar a las manos. Abenzaide pide al padre de Jarifa a ésta en matrimonio, y él se la concede. Jarifa entonces, desesperada, escribe a Abindarráez una carta (en redondillas), y éste visita al padre de la dama para decirle que ellos dos, Abindarráez y Jarifa, ya se habían comprometido. Jarifa por su parte llama a Abenzaide y le cuenta sus relaciones con Abindarráez y que ya le tenía dada palabra de casamiento y le pide que la deje libre y que él se case con Fátima, y de esta manera se celebran las dos bodas: la de Abindarráez y Jarifa, y la de Abenzaide con Fátima. Otro romance del mismo libro[108] trata de Abindarráez, sobre un juego de justas que mantuvo en la Alhambra; Abindarráez y el moro Muza hablan sobre sus señoras y discuten de la hermosura de las dos. En una aparatosa fiesta de la sortija, con mantenedor y un gran aparato alegórico, Abindarráez vence a sus contendientes hasta que sale Muza, y en el encuentro los jueces no aprecian diferencias en el deporte guerrero. Si tenemos en cuenta (como

---

[106] Es el romance que comienza: «Con Fátima está Jarifa / a una ventana parlando», fol. 211v.

[107] Comienza: «Cuando salió de cautivo / el rey Chico de Granada», fols. 377-386.

[108] Comienza: «El gallardo Abindarráez / tan conocido por fama», fols. 419-424.

antes se dijo) que el mismo Pedro de Padilla es autor de una versión completa del argumento del *Abencerraje* novelístico, observamos que la creación de este romance desviado pudo darse en un mismo autor. Considérese el cambio de estilo entre la sequedad del romance que se ciñe a la novela y esta brillantez de las aventuras cortesanas de la Granada mora, precedente del gran libro de Pérez de Hita que representa la culminación de esta corriente del libre trato artístico de la materia morisca.

En efecto, de entre los numerosos episodios que se reúnen en las *Guerras civiles,* hay uno (R. XXII) en el que dos moras de la nobleza, Jarifa y Fátima, presencian los juegos caballerescos mientras hablan de sus amores. Para esto Pérez de Hita prosificó antes la situación que prepara la inclusión del romance. Jarifa y Fátima, había indicado el autor[109], eran damas de la corte de la Reina. Poco antes del episodio se nos había declarado que Abenamar sirve a Fátima (y, por tanto, los celos de Jarifa son injustificados), y en el curso del juego de la sortija que se nos describe presenta un hermoso retrato de su amada, y esto es ocasión para que se nos refiera la fama de los amores de Abindarráez y Jarifa. Fátima dice a Jarifa: «... sino miraldo por vuestro Abindarráez, que por vos o por lo que a él le está bien, tiene hechas cosas muy grandes y dignas de memoria». «Lo de Abindarráez para conmigo —dijo Jarifa— es cosa muy pública y saben todos que es mi caballero...»; las escenas de galantería se suceden y en otra parte se dice que se casaron varios caballeros, entre ellos «Abindarráez con la hermosa Jarifa»[110]. ¿Cómo entender esto si nos atenemos sólo a los textos de la novela? ¿Serían las bodas públicas del matrimonio secreto que se nos contó allí? ¿O son otros los personajes de las *Guerras civiles?* Pérez de Hita manejó estos hilos sin referirse

---

[109] Ginés Pérez de Hita, *Guerras Civiles de Granada,* I, 1595, ed. de Paula Blanchard-Demouge, Madrid, Bailly-Baillière, 1913, pág. 36.

[110] *Ídem,* I, págs. 82 y 144, respectivamente.

a las obras precedentes que evidentemente conocía; si en el *Abencerraje* se mezclan acontecimientos que en el tiempo histórico necesitan un orden en la sucesión real, en las *Guerras civiles,* aún con más libertad, se deshace el entramado novelístico precedente y queda sólo la fama de unos amores que en este libro se recrean otra vez al gusto del escritor, al que ya tiene sin ningún cuidado la posible realidad histórica de los personajes moros o siquiera su verosimilitud y que tampoco cuenta con la ficción novelesca del *Abencerraje.*

Esta parte del ciclo de Abindarráez y Jarifa viene a desembocar en el *Romancero general* (1600), que contiene el mayor número de estas versiones desviadas del *Abencerraje.* Jarifa y Abindarráez se hallan en Granada y sus amores se ven enredados con los de las otras parejas, y en el torbellino de las fiestas, entre danzas y justas, se suceden las incidencias anecdóticas, propias de amantes cortesanos. «Abindarráez y Muza / y el Rey Chico de Granada» (R. XX) es un romance característico de estas escenas. Los tres moros, enamorados de Jarifa, Zaida y Zara, acuden a una movida zambra en la que Abindarráez pisa un pie a Fátima y esto da lugar a los desdenes de Jarifa. La vida de la Corte granadina ha cambiado a la mora y ya no es aquella enamorada sumisa de la frontera que espera a su amado con el corazón encogido por el temor. Terminado este baile, en otro romance que comienza «Después que con alboroto / pasó el bailar de la zambra...»[111] se juntan Jarifa, Fátima y Zara y allí se tienen sus más y sus menos hablando sobre el amor, y Jarifa se queja de su abencerraje. Para dar aún mayor variedad al asunto, en otro romance: «En la ciudad granadina / en lo mejor de la plaza»[112] (R. XXIII), otra vez los celos pican al abencerraje porque cree que un cegrí pasea la calle de su amada, pero se convence de que esto no es así sino que

---

[111] *Romancero General,* 1600, Madrid, CSIC, 1957, ed. de Ángel González Palencia, I, núm. 63, pág. 50, atribuido a Lope.

[112] *Ídem,* I, núm. 132, pág. 96, atribuido a un poeta vulgar.

el cegrí va detrás de otra dama, y entonces la confianza vuelve a su ánimo y acaba la pieza con un elogio desorbitado de la belleza de Jarifa. Pero esto no siempre ocurre así y en el romance «Celoso y enamorado / rompe los aires con quejas»[113] el enamorado moro, delante de la ventana de su Jarifa, se queja de rabiosos celos hasta que, acercándose la ronda, se aleja discretamente. En otro romance («Gallardo en armas y trajes / sin amores y con galas»)[114] Jarifa y Zara están asomadas a la ventana, ambas enamoradas de Muza, que las desprecia a las dos, y en particular a Jarifa:

> ... que temo que quien sin causa
> dejó ayer a Abindarráez,
> dejará a Muza mañana.

¿Puede llegarse a mayor despropósito? La mano de Lope, al que los cambios en la brújula del amor eran tan frecuentes, parece que anduvo en el asunto. En otro («A un balcón de un chapitel / el más alto de su torre»)[115] Jarifa y Celia, asomadas en lo alto, inquietan con sus miradas a Gazul y Tarfe. En otro («Ponte a las rejas azules / deja la manga que labras»)[116] Jarifa está enamorada de Abdala. En otro («El rey Marruecos un día / el claro Tajo miraba»)[117] aparecen «trabados de las manos / Jarifa con Abenamar». En otro («De unas cañas que jugaron / en la plaza Vivarrambla»)[118] se enlaza a Jarifa con Hamete. En estos casos hemos de suponer que Jarifa no era más que un nombre abundante, aplicado a las moras y adaptable a cualquier otra anécdota morisca.

---

113 *Ídem,* I, núm. 551, pág. 356.
114 *Ídem,* I, núm. 262, pág. 172, atribuido a Lope.
115 *Ídem,* I, núm. 147, pág. 106.
116 *Ídem,* I, núm. 225, pág. 151.
117 *Ídem,* I, núm. 280, pág. 184.
118 *Ídem,* I, núm. 574, págs. 369-370.

Estas son las piezas más ilustrativas de esta radicación granadina de los enamorados que pasaron sus penas y sus desdichas primeras en los castillos de la frontera, y en muchos casos hay que dudar que sean los mismos de la novela, y que no sean sino nombres brillantes aplicables a otras damas y caballeros. En ellas hallamos las modalidades extremas del preciosismo propio del romancero morisco, tanto temático como estilístico. Para dar una solución a esta diferencia de personalidad, Agustín Durán ha propuesto la existencia de otro Abindarráez, «el tío», que el crítico romántico propone para estos otros romances; el arbitrio no tiene más fundamento que poner un poco de orden en el asunto. En su *Romancero general* Durán situó estos romances del tío entre los novelescos moriscos[119], y los otros en la parte de los históricos[120], sin que se vean claras las razones de la separación. G. B. Depping[121] en su Romancero castellano no lo hizo así y los reúne todos en el mismo lugar; y no me parecen tampoco convincentes las razones de Cirot y Deferrari sobre este aspecto. No creo que sea conveniente plantearse la cuestión de si fueron efectivamente diferentes estos Jarifa y Abindarráez; el nombre por sí mismo, de una manera absoluta, por la fuerza de su irradiación poética, es un núcleo asociativo que sobrepasa la identidad lógica. No importa que sean o no los mismos y esta cuestión no debe plantearse en una apreciación poética. El nombre basta para que cada una de estas piezas quede por lo menos asociada con esta materia poética rutilante y en movimiento creador que así se ofrece a la apreciación del oyente o del lector de los Siglos de Oro.

Como ejemplo de estos romances alejados, incluyo en la Antología uno de ellos, con deliciosos absurdos, en el que

---

[119] Ed. «Biblioteca de Autores Españoles», 1849, I, núms. 75-85.
[120] *Ídem,* 1851, II, núms. 1089-1094.
[121] Nueva edición con las notas de A. Alcalá Galiano, Leipzig, F. A. Brockhaus, 1844, págs. 224-234.

un abencerraje es objeto de un gran reconocimiento por parte de los granadinos, que le elevan una estatua, pero él no deja en esta apoteosis de sentir el dolor de la ausencia de Jarifa (R. XXI).

Y avanzando en esta desviación hallamos los ejemplos más alejados de la novela; Abindarráez, Jarifa y Narváez quedan sólo en esta calidad de nombres sueltos que, como si fuesen piedras preciosas, se sitúan con sus brillos legendarios en los romances moriscos de libre inspiración. Ya en el Romancero de Lucas Rodríguez hay un «Romance del sentimiento que hizo por Vindaraja el rey moro de Granada»[122] en el que se trata del asunto (ya existente en las *Rosas,* de Timoneda) de la pérdida de Antequera, mezclado con el de una bella mora que el rey ha perdido con la villa. De tema semejante, en el manuscrito R. XXIVa, Padilla, en el mencionado *Thesoro...*[123], recrea por los mismos años este asunto en un romance (con quintillas alternantes) en el que la mora cautiva es una Jarifa, nombre ya indeterminado. Y así ocurre que, ligado sin motivo con el nombre de la mora, en otro romance tardío[124] se saca a relucir a Narváez como enamorado de la mora, y esto es un despropósito en relación con el carácter cívico del capitán cristiano.

Ya en el último punto de este alejamiento encontramos un curioso romance (R. XXV)[125] en el que la fama de los hechos de Narváez con Abindarráez y Jarifa guía hacia Antequera a otra pareja de enamorados moros, Hamete y Tartagona, que acuden a refugiarse al amparo del buen

---

[122] Comienza: «Con los francos Bencerrajes / el rey Chico de Granada» [Alcalá, 1582], Madrid, Castalia, 1967, págs. 154-155, ed. de Antonio Rodríguez Monino.

[123] Comienza: «En la villa de Antequera / Jarifa cautiva estaba...», fol. 29; véase pág. 76.

[124] Con el mismo comienzo que el de Padilla, *Romances vanos de diversos autores,* Zaragoza, 1640, págs. 285-287.

[125] Comienza: «Bajaba el gallardo Hamete / a las ancas de una yegua», *Romances varios de diversos autores,* ob. cit., págs. 287-290.

capitán, suponemos que por desventuras amorosas, y que encuentran la muerte a manos de unos bandidos. Este romance supone una adaptación de la leyenda de la Peña de los Enamorados[126]; en el lugar así llamado aún hoy, situado a mitad del camino entre Archidona y Antequera, se radicó, ya desde tiempos de Lorenzo Valla (1407-1457), la leyenda de unos infortunados amantes allí muertos y que en este romance se sitúan en los tiempos de Narváez. Se trata de una pieza tardía, contenida en una anómala colección de romances, muy difundida desde 1640 y que recoge un buen número de obrillas andaluzas; en este caso concreto, este romance va inmediato después del que comienza «En la villa de Antequera / Jarifa cautiva estaba», hace poco mencionado. Según J. Fernández Montesinos «este romance, uno de los últimos moriscos que se imprimen, es un curioso precedente de los vulgares del siglo XVIII. [...] Maravilla que el romancero morisco, tan requintado siempre, termine de esta manera»[127].

Queda por referir un último grado de la disolución de la anécdota primaria de los enamorados moros; y es cuando de ellos no queda más que el nombre, tan brillante y evocador por cuanto se ha escrito aquí y que los españoles conocían también, aplicado fuera del Romancero impreso, a otros personajes moros sin relación con Álora o Antequera. Sirva como ejemplo otro testimonio de Lope de Vega, el cual en una de sus comedias (de difícil fechación, 1610-1612 según la apreciación de Morley y Bruerton), *El primer Fajardo,* introduce a unos Abindarráez y Jarifa en una pieza

---

[126] Véase Lorenzo Valla, *La Conquista de Antequera con la Leyenda de la Peña de los Enamorados,* Antequera, Biblioteca Antequerana, 1957, trad. de José López de Toro y prólogo y notas de Francisco López Estrada. Este asunto pasó también al teatro; véase Francisco López Estrada, «La anónima *Comedia trágica de la Peña de los Enamorados*», *Homenaje a Alberto Navarro González,* Kassel, Reichenberger, 1990, págs. 379-392.

[127] José Fernández Montesinos, *Los Romancerillos tardíos,* Salamanca, Anaya, 1964, pág. 131.

referida a la familia de los Fajardos y en relación con sucesos que se sitúan en el reino de Murcia. En un episodio de la comedia hay una zambra referida a esta Jarifa, que espera el desposorio, y en ella Lope, aprovechando el prestigio poético del nombre de la mora, escribe dos hermosos romances breves para el baile (R. XXVI a y b) que representan la culminación lírica de esta materia morisca en la línea de una interpretación tan extremadamente preciosista en sus juegos barrocos que ya anuncia la poesía neoclásica[128]. Y en este caso son sólo otra vez los nombres de los personajes los que recogen la condición amorosa que se les atribuye y apoyan el carácter seudotradicional del texto en relación con un amor juguetón y amigo de besuqueos.

El mejor ejemplo de este desmenuzamiento de la materia literaria de lo que en la novela es un ejemplo de cohesión argumental se encuentra en una pieza cómica, muy debatida por otros aspectos[129], que es el *Entremés famoso de los romances*[130]. Si la materia morisca tuvo también su formulación teatral en la comedia (y es el caso de Lope, con la titulada *El remedio en la desdicha* ya referida), también llegó a las formas cómicas, como en este caso. Publicado en la *Parte tercera de las Comedias de Lope de Vega y otros autores* (Barcelona, 1612), el entremés es un mosaico de citas y menciones de personajes y argumentos romanceriles; y sirve para testimoniar que, en la fecha citada de esta edición, ya eran comunes el nombre de un *Bencerraje* referido a una

---

[128] Véase Francisco Javier Díez de Revenga, *Teatro de Lope de Vega y lírica tradicional,* Murcia, Universidad, 1983, págs. 114-115.

[129] Por su relación con la génesis del *Quijote,* propuesta por Menéndez Pidal; véase el estado de la cuestión en Luis Andrés Murillo, «Cervantes y *El entremés de los romances*», *Actas del VIII Congreso de la Asociación Internacional de Hispanistas,* Madrid, Istmo, 1986, II, págs. 353-357. Parece que, como propone este crítico, conviene posponer el *Entremés* al *Quijote.*

[130] Puede leerse en la *Colección de entremeses...,* Madrid, Bailly-Baillière, 1911, vol. 17 de la N.B.A.E., págs. 158-161.

Zaida y un *Abindarráez* en relación con una *Fátima:* a estos
últimos hay que casarlos aprisa porque ellos, como Abindarráez y Jarifa, compusieron sus bodas por su cuenta. Este
entremés indica que en la primera década del siglo XVII los
nombres de estos moros se mezclaban con los de los romances caballerescos y pastoriles en una común proyección
sobre una rusticidad cómica que podría ser propia de cualquier clase de argumentos. Esto no impediría, sin embargo,
que en el curso del siglo XVII se mantuviera aún la «imita-
ción» más o menos lejana del *Abencerraje* como se podrá
testimoniar en lo que iremos diciendo. O sea que no hay
que entender un progresivo deterioro del ciclo, sino su tratamiento y existencia en diversos planos literarios que se
apoyan unos en otros.

LA MATERIA ARGUMENTAL DEL «ABENCERRAJE» CON OTROS PROTAGONISTAS

Ocurre también que esta trama de amores de la frontera
se ha aplicado a otros protagonistas de una manera confusa.
Un ejemplo es lo que ocurre con Boabdil en un grupo de
romances enlazados; en uno, ya citado, «el rey chico de Granada» suspira por Antequera, en donde se halla su amor
(R. XXIVa) en la versión del manuscrito —entre 1560 y 1568—
de la Hispanic Society of America. En la *Rosa de Amores* (1573)
Timoneda sitúa el romance «Sospira por Antequera / el rey
moro de Granada», versión más amplia en la que ella se llama ¡Narsisa! Finalmente Gabriel Lasso de la Vega (R. XXIVb),
con mejor instinto histórico de los hechos implicados, refiere el caso a un episodio de las luchas civiles granadinas pero
sigue narrando la trama de amor, esta vez la que siente por
Guara, una mora de Granada. Lasso de la Vega cambia el
motivo político que impulsó a don Fernando a conceder la
libertad a Boabdil, y en esta pieza declara que lo hace para
que el prisionero vaya a reunirse con su amada, y la relación

con el *Abencerraje* queda patente: «Más que el prenderme / el libertarme te ensalza»).

La trama del *Abencerraje* puede, pues, aplicarse libremente al género de los romances. Y esto es lo que ocurre con otro de ellos, muy logrado, obra de Góngora, una de las joyas de su poesía, el tan conocido que comienza: «Entre los sueltos caballeros / de los vencidos cenetes» (R. XXVII); y otro del mismo autor, no tan acertado, más denso en artificiosidades, que comienza: «En la fuerza de Almería / se disimulaba Hacén»[131]. Este romance tiene el mismo argumento que la parte de los amores infantiles de Abindarráez (en este caso, Hacén) por Jarifa (cambiada en Celidaja); el que sea un abencerraje el protagonista enlaza con la novela, si bien Góngora trata el asunto con gran libertad.

Si con la materia del *Abencerraje* antes indicamos que F. Balbi de Correggio escribió el poema épico de la *Historia de los amores del valeroso Abinde Aráez* (1593), dentro del mismo molde poético de la épica culta el leonés Diego de Esteban Osorio publicó la *Primera y segunda parte de las Guerras de Malta y toma de Rodas* (Madrid, Vélez de Castro, 1599)[132]. En esta obra, al comienzo de la Parte II, el joven autor incluye el relato de un caso análogo a Abindarráez, Jarifa, y Narváez, sólo que atribuido a otros personajes: Reduán, héroe turco, va en busca de Guazama y cae prisionero de Melchor de Robles, que le concede libertad para que vaya a casarse con su enamorada. En este caso, la caballerosidad del cuento morisco se traslada a los turcos en una época (los hechos narrados son de 1565) en que las cuestiones de

---

[131] Véase el texto en Luis de Góngora, *Obras Completas,* Madrid, Aguilar, 1943, ed. de J. Millé y Giménez, núm. 82, págs. 178-180, que sitúa la obra en 1620.

[132] Véase Lorenzo Rubio González, *«Las guerras de Malta» de Santisteban Osorio»*, *Tierras de León,* 50 (1983), separata de 18 págs. El texto puede leerse en José Fradejas Lebrero, *Novela corta del siglo XVI* (II), ob. cit., págs. 725-744.

Oriente contaban en la política española. Poco más de treinta años después, la versión épica del hecho incluye, junto a la noticia de los combates reales con los turcos, la fantasía renovada del caso morisco.

Narváez, el Abencerraje y Jarifa en la tradición oral sefardí y morisca

Los años en que se difunde el Romancero morisco son ya tardíos para que sus piezas lleguen a incorporarse a una tradición folclórica perdurable; sin embargo, en medios muy conservadores fue posible establecer cierta relación con algunos de estos romances, probablemente utilizando en el origen textos procedentes de impresiones. Así ha ocurrido con algunos romances que han pasado a la tradición del Romancero judío y que han llegado hasta la época actual. Entre los sefardíes que viven en Marruecos el asunto morisco apenas se halla representado en su Romancero. De los ocho romances que ha recogido el minucioso y rico *Catálogo* de S. G. Armistead[133], dentro del grupo morisco, tres se refieren de una manera inmediata a nuestro campo. Uno está en relación con el de Jarifa cautiva en Antequera[134]. Otro romance procede del de Fátima y Jarifa, siempre contando en ambos casos con una gran contaminación de otros romances; en este caso se trata de una de las versiones desviadas del ciclo, el de los celos de Jarifa, que se mezcla con el referido de la mora cautiva en Antequera (R. xxviii)[135]. El

---

[133] Samuel G. Armistead, *El Romancero judeo-español en el Archivo Menéndez Pidal (Catálogo-índice de romances y canciones),* Madrid, Cátedra Menéndez Pidal, 1978; son las referencias D1 a D8.

[134] Es el que comienza en su versión antigua: «En la villa de Antequera / Jarifa cautiva estaba», citado antes (S. G. Armistead, ob. cit., pág. 189).

[135] *Ídem,* págs. 192-193; ofrezco en este caso la versión de Arcadio de Larrea.

romance es como un mosaico de versos brillantes, a veces
sin conexión lógica, de un gusto desgarbado, con muchas
connotaciones vulgares (si bien esto puede depender de la
versión), pero de una gran eficacia para crear una situación
de un fuerte lirismo primitivo. Finalmente el último romance[136] es un eco de la generosidad de Narváez según aparece en la narración de la honra del marido guardada por el
amante, tal como se encuentra en la versión del *Abencerraje*,
de Villegas, que imprimo en este libro (R. XXIX). Según P. Bénichou[137], este romance procede de orígenes vulgares; sin
embargo, la anécdota primaria se documenta en libros referidos a la fama de Narváez[137bis]. Aparece contaminado de
fórmulas del Romancero viejo y la pieza simplifica en extremo el desarrollo novelístico no dejando más que un esquema elemental del conjunto. Con todo, es curioso notar
que, de la enorme balumba del Romancero morisco, el folclore poético de los sefardíes más cercanos a España conser-
ve tantas muestras del ciclo estudiado aquí. De todas maneras el alcance de este fondo fue mucho más lejos: sobre-
viviendo a través de emigraciones penosas, una Xarifá[138]
mora, que labra sus ricas tocas, aparece en fragmentos de
romances recogidos entre sefardíes de la costa oriental
de los Estados Unidos, oriundos de los Balcanes.

De una manera paralela al caso de estos romances sefardíes, se ha testimoniado la presencia de los romances entre
los moriscos, aun después de la expulsión de 1609. De entre estas piezas, las hay que pertenecen a este grupo de los
moriscos. S. G. Armistead cree que los gustos poéticos de

---

[136] *Ídem,* págs. 190-191. Doy la versión de P. Bénichou.

[137] Paul Bénichou, *Romancero judeo-español de Marruecos,* Madrid,
Castalia, 1968, pág. 268.

[137bis] Véase Francisco López Estrada, «Rodrigo de Narváez, alcaide de
Antequera, vencedor de sí mismo», art. cit. en la Bibliografía

[138] Véase S. G. Armistead y J. H. Silverman, «Dos romances fronterizos en la tradición sefardí oriental», *Nueva Revista de Filología Hispánica,*
13 (1959), págs. 87-97, en especial nota 16.

estos moriscos «en el destierro corrían parejos estrechamen-
te con los de los españoles cristianos»[139]. Y así ocurre que
los personajes del *Abindarráez* pudieran haberse hallado
entre los de estas gentes aficionadas a los romances, acaso
llegados a ellos en pliegos y libros de esta especie, y que se
hubiesen unido al fondo tradicional en un trato común
folclórico.

Poesía idealizada del moro caballeresco
y realidad social del morisco trabajador

Esta valoración literaria del moro, que había sido enemigo de la fe y secular antagonista del cristiano hasta 1492,
alcanzó los subidos grados que hemos considerado sobre-
poniéndose a la noticia de la historia y a la realidad vivida
por el pueblo morisco, ocupado, mientras duró su perma-
nencia en suelo español, en los trabajos de la artesanía ma-
nual hechos con el cuero y la madera, así como en la con-
fección de las prendas de lujo de los torneos y de las sillas
para los caballos que se lucían en ellos; otros laboraban en
los oficios del campo, en las faenas de las huertas sobre
todo, y en otras ocupaciones humildes propias del pueblo
llano, mientras que las mujeres, además de atender al cuidado de sus hogares, servían en las de los hidalgos. Por otra
parte, el morisco no constituye un orden social uniforme;
la larga reconquista había diversificado a los mudéjares de
los distintos reinos de España, en tanto el esfuerzo bélico
empujaba hacia el sur la frontera de los cristianos con los
árabes. A través de siglos había habido una convivencia de
orden diferente en los distintos lugares; y a este proceso
secular hay que añadir el caso de los últimos moros grana-

---

[139] Samuel G. Armistead, «¿Existió un romancero de tradición oral
entre los moriscos?», *Actas del Coloquio Internacional sobre literatura aljamiada y morisca,* Madrid, Gredos, 1978, pág. 228.

dinos, que se convirtieron en los representantes más desta-
cados de la literatura morisca. La conversión forzosa de los
moriscos fue decretada por Carlos V en 1525, como consecuencia de la bula del papa del 15 de mayo de 1524. Con-
servamos un testimonio del efecto que esto produjo en Aragón; se encuentra en un manuscrito aljamiado cuyo texto
escribió Baray de Reminŷo con ayuda del mancebo de Arévalo. En él se cuenta[140] que un fraile carmelita de Aragón,
fray Esteban Martel, «muy amplio amigo de los moros
de este reino», se queja del trato que se dio a los moriscos
en esta cuestión. Hubo, pues, voces probablemente aisla-
das, pero claras, en favor de continuar la convivencia religiosa pactada (con sus implicaciones culturales), que resultó
imposible en la realidad de la política oficial de la Monarquía. Sin embargo, esta reprimida opinión pudo ser como
semilla de un trato humano que pudo hallarse en el origen
poético del *Abencerraje,* por entre otros motivos de distinto
orden.

En contraste con esta realidad social, conocida de todos
por la convivencia en unas mismas ciudades y aldeas, se
hallaba la otra realidad de los libros y de las canciones. La
idealización poética de las novelas y, sobre todo, la de los
romances moriscos, se desorbitó hacia la creación de un
mundo esplendente de belleza, en el que aparecían hermo-
sas criaturas, de sentimientos conmovidos por una romántica violencia, sólo pendientes del amor y de sus combina-
ciones laberínticas a través de celos y desdenes; y esto en el
marco de palacios y jardines, escenarios de fiestas y zambras

---

[140] Véase Leonard P. Harvey, «Un manuscrito aljamiado en la Biblioteca
de la Universidad de Cambridge», *Al-Andalus,* 23 (1958), págs. 49-74, en
especial 69-70, en donde se atribuye a Fray Esteban Martel lo siguiente:
«Yo digo de mi parte, con dolor de mi corazón y de mi ánima, que os han
hecho gran sinrazón» (pág. 69; modernizo la transcripción). Sobre la personalidad de este coautor de la obra, véase del mismo autor «El Mancebo
de Arévalo y la literatura aljamiada», *Actas del Coloquio Internacional sobre literatura aljamiada morisca,* ob. cit., págs. 21-42.

en tanto que el dogal de la frontera apretaba inexorablemente la vida del reino granadino. Y frente a esta evocación idealizada, estaba la existencia en común de cristianos y moriscos dentro de la Monarquía española, con el amor y el odio de una convivencia alterada por la diferencia de religiones y costumbres. Y en este trato hubo de todo: matrimonios de cristianos viejos con moriscas, relaciones económicas con algunos cristianos, sobre todo propietarios rurales y comerciantes que se aprovechaban del trabajo de los moriscos; y también ocasión de divertirse, pues los moriscos fueron muy amigos de burlerías, cuentos, bernaldinas y, sobre todo, de bailes, danzas, solaces, cantarcillos, etc. Pero al lado de estos puentes, queda el contradictorio testimonio que se desprende de la historia que manifiesta la difícil convivencia de los moriscos y los cristianos después de 1492. A. Domínguez Ortiz y B. Vincent encuentran en sus relaciones desprecio, miedo y odio[141]. Hacia 1560 (época en que se inicia la difusión de las formas literarias del *Abencerraje),* cabe notar una crisis de la que no se pudo salir después de la rebelión de las Alpujarras y las incursiones en las costas, y que acabó culminando con la expulsión. El *Abencerraje* viene a representar la formulación literaria, establecida en estos años críticos y referida a un pasado, de algo que era imposible en el presente: la convivencia de gentes de una y otra ley, dentro del concepto de la relación humana de la amistad que promueven la generosidad de Narváez y la gentileza de Abindarráez. Se ha insistido —y con razón— en que el fundamento humanístico en que se apoya la novela es propio de reducidos grupos de la corte, amparados en la tradición medieval y avivados por los aires

---

[141] Antonio Domínguez Ortiz y Bernard Vincent, *Historia de los moriscos. Vida y tragedia de una minoría,* Madrid, Revista de Occidente [1979], 1985, págs. 129 y 155-156. Y también, la información de estas actividades en Julio Caro Baroja, *Los moriscos del reino de Granada,* Madrid, Istmo, 1976, 2.ª edición.

del Renacimiento literario italiano, pero también hay que contar con que en pocos años la «materia literaria» que establecen la novela y los romances llega a un público numeroso de hidalgos y pueblo común que se entretiene con las diversas formas de la misma.

Sin embargo, la consideración de esta corriente no ha de impedirnos notar que también existió otra, contraria, basada sobre todo en el contraste entre el morisco de la vida cotidiana española y este otro moro de la literatura, tan fácil de percibir; y esto se convirtió en un asunto de bulto y aprovechable para piezas de burlas y parodias[142]. De ahí que resulte algo esperado que un romance ponga esto de manifiesto mezclando el prestigio de los nombres poéticos con la realidad observable; y es curioso que esto ocurra también en un romance escrito, en este caso, desde el punto de vista de los cristianos:

> [...] Están Fátima y Jarifa
> vendiendo higos y pasas,
> y cuenta Lagartu Hernández
> que danzan en el Alhambra...[143].

Y el mismo contraste violento se encuentra en este otro romance de Gabriel Lasso de la Vega en el que cuenta las actividades laborales de los moriscos:

> Acompañe a Abenázar
> que a la torre de Lodones
> con cuatro cargas de trigo
> ha de allegar esta noche;

---

[142] Sobre esta cuestión, véase el minucioso artículo de María Soledad Carrasco Urgoiti, «Vituperio y parodia del romancero morisco en el romancero nuevo», *Culturas populares: diferencias, divergencias, conflictos,* Madrid, Casa de Velázquez-Universidad Complutense, 1986, págs. 115-138.

[143] *Romancero General,* ed. cit., I, núm. 329, pág. 220; comienza: «¡Oh, mis señores poetas! / Descúbranse ya esas caras.»

> Celin Gazul, con almendras;
> Audalla, con miel y arrope;
> y con turrón de Alicante
> Sarracino, por su parte;
> con pasas y arroz, Azarque;
> Muley, con melocotones;
> Muza, con peras vinosas
> para proveer la Corte,
> donde un mozo de despensa
> le dará cincuenta coces...[144].

Y lo mismo ocurre con otro romance del *Romancero General* en que se pone en contraste la realidad de la vestimenta del moro ganapán con lo que cuentan los romances. Y así se dice:

> Renegando viene el moro
> del poeta que ha puesto
> un pipote de disfraces
> para que él vaya muriendo.
> Juramento hace el moro,
> juramento viene haciendo
> de no poner más divisas
> porque es de amadores necios[145].

Pero el propio Lasso trata en la misma obra el asunto morisco de acuerdo con los convencionalismos literarios de que se burla, entrando y saliendo de la experiencia según convenía a la obra y sin que los oyentes o lectores quedasen extrañados por ello, pues ambos moros, el poético y el avecindado en el lugar, eran igualmente reales, sólo que en dominios distintos de la apreciación literaria. Y aún puede

---

[144] Romance que comienza: «Señor moro vagabundo...», *Manojuelo de romances,* Zaragoza, 1601, ed. de E. Mele y A. González Palencia, Madrid, 1942, pág. 29.
[145] *Romancero General,* ed. cit., I, núm. 499, pág. 328; comienza: «Ese moro ganapán / que no llevara un jumento.»

darse el caso de que el mismo Lasso de la Vega acerque aún más ambos mundos, y así resulte este romance que mana nostalgia en los vencidos:

> ... dejarélos en pelota,
> pues con unas alpargatas
> y un zaragüelle de angeo
> tendrán al fin lo que basta.
> Contaránme del invierno
> las noches prolijas, largas,
> los asaltos de Jaén
> y los combates de Baza,
> la muerte de Reduán
> y los amores de Audalla,
> con el destierro de Muza
> porque el Rey quiso a su dama...
> y tras eso dormirán
> en el pajar con dos mantas[146].

La moda morisca duró unos pocos años; frente a ella no faltaron las voces disconformes. En el *Romancero General* figura uno de los romances más difundidos, el que comienza, «Ah, mis señores poetas», que plantea la cuestión de si resulta lícito seguir con una moda que ensalza al enemigo cuando no existe reciprocidad:

> ¿Saben si alguna nación
> persa, scita u othomana
> a nuestros nombres celebran
> y cantan nuestras hazañas?
> Si dicen que no lo ignoran,
> ¿por qué las cuentan y cantan
> en nombre de los moriscos
> abatiendo nuestras lanzas?[147].

---

[146] Es el romance que comienza: «Quien compra diez y seis moros...», ed. cit., pág. 102.
[147] *Romancero General,* ed. cit., I, núm. 329, pág. 220.

Y en otro romance se acusa el cansancio de la moda morisca:

> [...] Renegaron de su ley
> los romancistas de España
> y ofreciéronle a Mahoma
> las primicias de sus galas.
> Dejaron los graves hechos
> de su vencedora patria,
> y mendigan de la ajena
> invenciones y patrañas[148].

Pero en estos asuntos no cabe atenerse a criterios rígidos; en el mismo *Romancero,* en la pieza inmediata, hay una respuesta a la anterior pregunta, que recogiendo una opinión que procede de la Edad Media, reivindica para España a estos moros andaluces:

> Si es español don Rodrigo,
> español fue el fuerte Audalla,
> y sepa el señor Alcaide
> que también lo es Guadalara.
> Si una gallarda española
> quiere bailar doña Juana,
> las zambras también lo son
> pues es España Granada...
> No es culpa si de los moros
> los valientes hechos cantan,
> pues tanto más resplandecen
> nuestras célebres hazañas,
> que el encarecer los hechos
> del vencido en la batalla,

---

[148] *Ídem,* I, núm. 330; comienza: «Tanta Zaida y Adalifa / tanta Dragura y Daraja.»

engrandece al vencedor,
aunque no hablen de él palabra...[149].

Españoles todos porque, aun contando con el antagonis-
mo secular de moros y cristianos, la concepción subyacente
de una España que integra cuanto ocurre sobre su suelo queda reconocida como una realidad vivida. En el cuidadoso
estudio que M. S. Carrasco dedicó a este asunto, añade también que, junto a estas manifestaciones literarias, hay que
contar con la labor de las artes menores de los artesanos mudéjares «que quizás hayan influido para que se hiciese con-
sustancial al romance morisco un estilo descriptivo en que
objetos y ornamentos se acumulan profusamente...»; estos
moriscos convertidos pudieron ser «un auditorio particularmente predispuesto a sentir como suya la opulenta guar-
darropía morisca»[150], un grupo más que añadir al público
español que leía, cantaba y recitaba estos romances; para este
grupo los romances pudieran suscitar, junto a su brillantez
literaria, un sentimiento de nostalgia por un mundo desaparecido, pero aún evocable —en nuestro caso— en la gracia
del *Abencerraje* y en su descendencia romanceril.

La moda se acabó, y un hecho histórico coincide con el
desenlace fatal: la expulsión definitiva de los moriscos que firma Felipe III en 1609. Y aun en los coletazos de esta conmo-
ción histórica aparece un eco lejanísimo de Narváez y el aben-

---

[149] *Ídem*, I, núm. 331; comienza: «¿Por qué, señores poetas / no vol-
véis por vuestra fama?»
[150] M. S. Carrasco Urgoiti, «Vituperio y parodia del romancero morisco en el romancero nuevo», art. cit., pág. 437; en este artículo se dan las
fechas posibles de las que se tienen como primeras apariciones de los romances que menciono por el *Romancero General,* indicio de su popularidad, y que pertenecen a la anterior década. Sobre la desaparición de este
orden poético y análisis de los recursos de estos romances moriscos que
satirizan a los que seguían la moda general y se burlan de ellos, véase Amelia García Valdecasas, «Decadencia y disolución del romancero morisco»,
Boletín de la Real Academia Española, 246 (1989), págs. 131-158.

cerraje amante de Jarifa. Entre las familias moriscas que se revolvieron en Valencia contra la disposición de Felipe III, hay un moro que se declara descendiente de nuestro Abindarráez:

> Viene Puleix, del linaje del moro abencerraje
> que cautivó el alcaide de Antequera...[151].

LAS APETENCIAS DE FICCIÓN NOVELESCA DEL PUEBLO MORISCO

Queda una cuestión sobre la que sólo hay noticias inconexas y aproximadas: la consideración en que los mismos moriscos pudieran haber tenido esta literatura que recibe el adjetivo de *morisca* (y en concreto del *Abencerraje*). Por fortuna, la cultura morisca está siendo cada vez mejor conocida, y esto enriquece su estudio literario. Por una parte, se va precisando cada día más la variedad de grupos moriscos en los diferentes reinos de la Monarquía después de 1492; algunos de ellos (sobre todo los que estaban arraigados en Castilla y en Aragón) desarrollaron una peculiar escritura, la aljamiada, consistente en que se valían del alfabeto árabe para escribir en la lengua vernácula cristiana que hablaban en sus modalidades dialectales hispánicas. Los moriscos y mudéjares no hicieron esto por desconocimiento de la grafía de la lengua latina y vernácula, sino que, como indica M. J. Viguera, era «uno de los últimos reductos de afirmación de la identidad mudéjar o morisca»[152]. Dejando de

---

[151] Gaspar de Aguilar, *Expulsión de los moros de España por la S.C.R. Magestad del Rey Don Phelippe Tercero...*, Valencia, Pedro Patricio Mey, 1610, Canto III, págs. 79-80.

[152] Véase el prólogo de María Jesús Viguera al libro de Federico Corriente Córdoba, *Relatos píos y profanos del ms. aljamiado de Urrea de Jalón*, Zaragoza, Institución Fernando el Católico, 1990, págs. 9-51; la cita en la pág. 28; en este prólogo se encontrará una información general del asunto y referencia de los estudios de J. Caro Baroja, A. Domínguez

lado los documentos religiosos y económicos escritos en aljamiado, importa para nuestro fin el caso en que esta escritura se usa para conservar obras a las que se puede aplicar la calificación de literarias, pues es un indicio para testimoniar las preferencias de los que las escribieron y luego leyeron u oyeron leer. En este grupo de obras contamos con versiones de Alejandro, transcripciones de libros de caballerías, como el de los amores de París y Viana, narraciones épicocaballerescas de las expediciones guerreras de los primeros tiempos del Islam, abundancia de historias y leyendas además de los libros religiosos, de piedad (a veces en forma poética), de supersticiones y creencias populares, viajes, etc. De entre ellos destaca para nuestro propósito el citado de la *Historia de los amores de París y Viana*[153], escrito probablemente en Aragón (donde se sitúan las versiones primeras del *Abencerraje*) sobre un papel que pudiera ser de la segunda mitad del siglo XVI (o sea cuando la fama de nuestro libro iba creciendo). El texto aljamiado se basa en la edición castellana de Burgos, hecha por Alonso de Melgar, en 1524, que a su vez procede de otra catalana. Se trata, como escribe A. Galmés, su editor, de un libro de caballerías de asunto francés (y origen acaso catalán), y representa un interesante testimonio de las relaciones entre la literatura occidental y los probables gustos literarios de los moriscos[154]; «ambas literaturas no constituyen, en efecto, compartimientos estancos, pues

Ortiz, L. Cardaillac, L. López Baralt, S. Carrasco Urgoiti, A. de Bunes, M. de Epalza, B. Vicent y otros más; sobre la proyección literaria de estos textos, Álvaro Galmés de Fuentes, «El interés literario en los escritos aljamiado-moriscos», en las *Actas del Coloquio Internacional sobre literatura aljamiada y morisca*, ed. cit., págs. 189-209.

[153] *Historia de los amores de París y Viana*, Madrid, Gredos, 1970, edición y estudio de Álvaro de Galmés y Fuentes, pág. 22.

[154] Para las cuestiones literarias que implica este texto en cuanto a su origen y difusión, véase el estudio de Pedro M. Cátedra en *Historia de París i Viana. Edició facsímil de la primera impressió catalana (Girona, 1495)*, Gerona, Diputació de Girona, 1986, págs. 13-95.

cristianos y moriscos conocían y leían las producciones de unos y otros»[155]. La *Historia de París y Viana* es un caso de esta confluencia de gusto por los relatos novelescos de caballerías, que como hemos dicho se testimonia entre moriscos de Aragón. La sencillez del estilo de la obra, su soltura y ligereza convendrían con el público morisco, que la leería u oiría con el mismo gusto que lo hacían los cristianos; es un libro de caballerías breve (24 hojas en la ed. castellana) si se lo compara con otros más extensos, aunque no deje de tener su enredo argumental, de condición «novelesca» en algunos rasgos[156]. Sólo obtuvo una edición castellana y su misma modestia editorial conviene con que fuera elegido por el morisco que lo pasó a la escritura aljamiada de letra magrebina, torpe y poco cuidada; la copia nos ha llegado incompleta. A. Galmés[157] encuentra rasgos de la obra original que se acercan a las novelas caballerescas de origen musulmán, sobre todo un determinado realismo, en particular la resonancia que se nota en el relato con un suceso real sobre el que se urde la ficción; se trata de establecer en el curso de la obra un argumento viable y, en cierto modo, posible. En esto coincide con el *Abencerraje,* al menos en sus intenciones generales. El *Abencerraje,* establecido sobre la preparación literaria de la consideración de la frontera que testimonia la literatura de los españoles cristianos, pudo ser leído y oído por los moriscos con el grado de curiosidad con que pudieran conocer esta historia aljamiada de París y Viana, con la ventaja de que en el *Abencerraje* la realidad evocada por la ficción era lo que había sido suyo en un pasado no muy lejano.

La confluencia que representa la literatura aljamiada conservada y la literatura morisca del *Abencerraje* (y otros

---

[155] *Ídem,* pág. 7.

[156] «...es muy agradable y plazentera de leer, y especialmente para aquellos que son verdaderos enamorados» se lee en el encabezamiento (*ídem,* pág. 166).

[157] *Ídem,* pág. 48.

títulos) no ha de hacernos olvidar el diferente grado de difusión de una y otra. La literatura morisca de los cristianos obtuvo un grado alto de abierta difusión por medio de la imprenta, reforzada por la moda social a la que nos referimos (apéndice II) y el apoyo de la música y el baile populares, y pasó a la comedia. La literatura aljamiada, por el contrario, se conserva sólo en contados manuscritos que se mantendrían escondidos como una manifestación más del ocultamiento de los libros árabes, entre los cuales se tendría también a los aljamiados. No obstante la persecución, la identidad cultural del morisco se afirmaba en esta pendulación entre una asimilación o convivencia que podía crear esta confluencia en la que todos, cristianos y moriscos, «gozaban» con leer u oír el *Abencerraje,* y una reacción negativa propia de la minoría cada vez más sojuzgada, que llegó a la rebelión de los moriscos y a la medida extrema de la expulsión que tomó el gobierno político de la Monarquía. En esta compleja situación, tan diversificada en el curso del siglo XVI y también por la variedad de la población morisca (fuese convertida de veras o para disimular su fe musulmana y las costumbres de su tradición), había otro factor en juego, y era el de los conversos de ascendencia judía que podían favorecer el brillo y auge de la literatura morisca por cuanto representaba la supervivencia de la ficción de la otra cultura hispánica («ley», con palabra medieval); y a su sombra podían implicar la situación política y social en la que se hallaban inmersos y que no obtuvo proyección literaria ennoblecedora, como había ocurrido con el caso morisco. Por eso dice F. Márquez Villanueva que «la lección del *Abencerraje* ha sido calculada para ser tan aplicable al problema de los judeoconversos como al de los moriscos»[158]. La lección, sí, pero la difusión literaria que obtuvo la mate-

---

[158] Francisco Márquez Villanueva, «La criptohistoria morisca (los otros conversos», *Les problèmes de l'exclusion en Espagne,* París, Publications de la Sorbonne, 1983, págs. 77-94; la cita en la pág. 82.

ria morisca y la adhesión a ella de los escritores españoles correspondía a un gusto del público que podía ser aprovechado, pero no forzado ni dirigido, consistiendo en esto la habilidad de los escritores que quisieron soterrar en él una intención reivindicadora. Considerando esta situación desde una perspectiva actual, la peculiaridad que es propia de la escritura y difusión de la literatura aljamiada se ha considerado que sea «posiblemente una de las pocas literaturas sinceras del Renacimiento español»[159]. Esta posible «sinceridad» implica la participación doble de la tradición musulmana y de la cristiana, aunque esta sea la opresora. Y también conviene matizar por entre la variedad de la literatura aljamiada que se ha conservado. Si hay textos en que se halla el testimonio de la divergencia cultural (sobre todo, en cuanto a la religión), en otros casos puede establecerse cierta confluencia y comunidad de intenciones.

La «lección» percibida por la minoría morisca (y de la que participaban, según esta interpretación, los conversos) y el gusto de la mayoría de los cristianos por la hermosa ficción novelesca podían reunirse y fundirse en el auge de la literatura española morisca; y esto representaba un aspecto de la peculiaridad española que luego pasaría a Europa. En el curso de esta expansión, creciente, estas cuestiones de los orígenes quedaban lejos e inoperantes, mientras que la misma materia literaria se adaptaba a nuevas circunstancias políticas y sociales, cuando ya dejó de existir, al menos en las apariencias legales, la presencia del pueblo morisco en la vida española.

---

[159] Luce López-Baralt, «Las dos caras de la moneda: el moro en la literatura española renacentista», *Huellas del Islam en la literatura española*, Madrid, Hiperión, 1985, pág. 155.

APRECIACIÓN FINAL

El *Abencerraje* en sus varias versiones y los romances que
le siguieron como brillante estela poética fueron tan sólo
una parte de un conjunto histórico y cultural muy complejo. Hemos señalado que una de las ediciones de la novela
aparece dedicada a la familia de un modesto señor aragonés, cuyas tierras eran lugares de moriscos y también empa-
rentado (o por lo menos, se le atribuía) con familia de conversos; y de las otras versiones se sospecha su relación con
medios conversos. Al lado de estos indicios hallamos que el
Abencerraje (sobre todo, desde que se incorpora a la *Diana)*
es una obra que obtiene una gran difusión entre el público
español de todas las clases sociales y trasciende a la literatura europea, siendo uno de los factores que promueven el
gusto morisco con el que se identifica una de las caras de la
variedad española, considerada desde fuera. Dentro de España hay autores de todas las categorías que colaboran en
esta expansión del conocimiento de los hechos y personajes
del *Abencerraje* y su romancero; junto a piezas sueltas, dis-
persas en distintas obras, hay escritores de primera línea,
como Cervantes, que fueron testimonio de la misma, y esto
culmina en Lope de Vega, un genio tan inquieto y movedizo,
pero de una ortodoxia sin sombras, intérprete del sentir de
la hidalguía española.

Hemos visto también que en el auge de la novela y del
romancero morisco del *Abencerraje* intervinieron todas las
clases sociales y el conjunto de los Reinos españoles cuyos
límites políticos aún subsistían bajo la unidad de la Monarquía de los Austrias. Se trata, pues, de un asunto español en
el que vencidos y vencedores de cualquier Reino participaban de alguna manera y aun en posiciones contradictorias;
la diversidad de los lugares en que se editan las versiones
de la novela y los libros que contienen sus romances es gran-

117

de. La realidad de esta España compleja aparece con toda su evidencia activa. Todos a una pudieron solazarse con las aventuras de los moros y fingirse moros en el plano literario o en los disfraces de las fiestas; y los que lo eran (moriscos) podían sentir su condición genealógica como la última pavesa de un esplendor apagado, pero aún con fuerzas, para cantar y revolverse contra la política que se les aplicaba, si llegaba el caso.

Pasó la moda morisca, pero la creación poética a que dio lugar hubo de tener sus consecuencias. No en vano se repite una y otra vez el nombre de Abindarráez, el valiente galán abencerraje, de Jarifa, la hermosa mora, y sus accidentados amores resueltos con bien por el capitán de la frontera Rodrigo de Narváez. El pueblo español, por obra de los poetas de todas clases, cultos y vulgares, tradicionalistas e innovadores, en pliegos sueltos y en romanceros, en libros muy diversos, recordaría muchas veces y en condiciones muy distintas, a la pareja mora y a su protector. La cuestión llegó a casos extremos; así en una novela de María de Zayas se cuentan los excesos a que se llega en el uso del título de *don,* y un personaje dice: «Oí llamar a una perrilla de falda doña Jarifa...»[160]. No puede llegarse a más y a menos: las perrillas falderas de las damas reciben el nombre de la enamorada mora, hasta tal punto ha penetrado dentro del hogar la fama del personaje literario.

Siglos después uno de nuestros primeros folcloristas del siglo XIX, Emilio Lafuente, recogió una copla popular en la que el enamorado se queja de que su amor ande revolviendo en su linaje, y salta entonces el nombre de los abencerrajes como el de una familia de prestigio:

> Me han dicho que andas haciendo
> pesquisas en mi linaje:

[160] María de Zayas, *Novelas completas,* Barcelona, Bruguera, 1973, II, pág. 530.

¡Como si tú descendieras
de algunos abencerrajes![161].

Por causa de la gracia poética con la que se escribe el *Abencerraje* (y en este caso publicamos la que creemos versión más acertada), todo cuanto se reunió en el libro valió para promover la modalidad morisca de la literatura europea. Dentro de los límites de la Monarquía española, la aventura contada en la obra sirvió como un motivo más para constituir el crisol de España como entidad nacional patente; si Narváez vale como modelo de la virtud de un capitán español, su antagonista ha de considerarse como uno de los moros que guerrean «como personas de España»[162]. Balbi de Correggio, autor (como hemos dicho) en Italia de un poema épico con la trama, considera esta como propia de España:

... que creo que en España, muy sonada
para siempre será, muy celebrada[163].

En efecto, dentro de España, asegurándose en el testimonio de su folclore más diverso, la aventura literaria de ambos, cristiano y moro, se radica en una Andalucía que se convierte así en una parte de esta España en donde ocurren hechos de una naturaleza «romántica» que rompen los moldes de las habituales consideraciones políticas: estas gentes de la frontera, traspasadas de literatura, lograron que triunfase la paz y la amistad en medio de la guerra y la discordia. Armonizan así los paisajes de fondo y las gentes, su representación literaria y sus canciones. Algo sutil e impon-

---

[161] *Cancionero popular,* recogido por don Emilio Lafuente, Madrid, Bailly Baillière, 1865, II, pág. 241.
[162] Andrés Bernáldez, *Historia de los Reyes Católicos,* Sevilla, Sociedad de Bibliófilos Andaluces, 1879, I, pág. 235.
[163] F. Balbi de Correggio, *Historia de los amores...,* ob. cit., pág. 116.

derable queda en el aire que aún persiste: como un aroma de jazmines que se ha metido en la entraña de un patio andaluz. Granados, Albéniz y Falla supieron interpretar la escondida armonía espiritual que conmueve la vieja novela y los romances aquí estudiados, y que se pueden leer en los textos que figuran a continuación.

Los restos de Rodrigo de Narváez se conservan hoy en una tumba situada en la nave del Evangelio, junto a la puerta de la sacristía, de la Iglesia de San Sebastián en Antequera, y son el testimonio fehaciente de una realidad —la vida de la frontera andaluza en el siglo xv— sobre la que se promovió la novela y los romances de su ciclo, un material de índole literaria. La imaginación de alguien —secreto origen en el que pudieron colaborar tradición y autoría— relacionó a Narváez con Abindarráez y Jarifa, la pareja mora inventada para urdir un argumento que fue origen de un ciclo literario de gran fortuna y de una notable flexibilidad formal. El resultado fue una novela que, en la versión de Villegas, comporta una ejemplaridad cortés y moral que pudo ser objeto de diversas interpretaciones: como la manifestación de una relación entre las «leyes» (formas de vida en dependencia con la religión) que era imposible como realidad, pero enunciable como deseo en cualquiera de los que padecían por ello (conversos y moriscos); como manifestación de una maurofilia de elección, cuando la realidad política y social estaba haciendo cada vez más difícil la convivencia entre moriscos y cristianos; como espacio imaginario que favoreció la predilección del pueblo español cuando interpretaba a su aire la vida de una frontera que, en el curso del siglo xvi, aún podría recordarse en la experiencia inmediata o mediata de las gentes como algo propio de Andalucía y que, en la confluencia de una larga experiencia, había sido uno de los factores constitutivos de la condición histórica de España.

Esta edición

Para esta edición se ha escogido el texto de la versión del *Inventario,* de Antonio de Villegas. En las notas se ha limitado la comparación con las otras versiones sólo para los casos en que estas puedan aclarar o complementar el texto de Villegas. En la bibliografía se citan las ediciones de las otras versiones y, en general, los estudios que son comunes a todas ellas.

Tanto esta versión del *Abencerraje* como los textos de los romances y otras obras poéticas que se citan en el prólogo o se reúnen en la Antología se imprimen con las grafías originales reformadas. El criterio ha sido acomodar las letras *s, ss, ç, z, x, j, g, y, b, q-, r, h,* y las vocales *i, u,* al uso de la ortografía actual; se han completado las abreviaturas y deshecho las elisiones y contracciones que no rigen hoy, y también se han adoptado las normas actuales de puntuación, acentos y división en párrafos. Quedan, por tanto, las grafías antiguas que testimonian un diverso estado del vocalismo y de los grupos de consonantes que son distintos de la situación actual de la lengua. Estas diferencias con la lengua moderna son leves y se reducen a:

a) Las vocales átonas *(sospiro, invidia,* etc.); aféresis *(darga, Bencerraje,* etc.); paragoge *(infelice).*

b) Grupos de consonantes cultos *(escripto, captivo,* etc.); llamo la atención sobre el grupo —*nm*— que aparece de varias maneras: *inmortal,* pero *comigo.*

c) Formas verbales *(oyo, trayo,* etc.); futuros analíticos *(hablar vos he,* etc.); junto a formas contractas y variantes: *porné, terná, verná,* etc.; infinitivo más pronombre asimilados o no: *defendella* y *ayudarla,* etc.; imperativo con metátesis o sin ella: *fialde* y *ponedle,* etc.; segunda persona del infinitivo analógica y etimológica: *fuistes* y *venciste,* etc.

d) Alternancia en el uso de los pronombres de cortesía *(tú* y *vos)* y en el régimen átono de las formas pronominales.

e) Imprimo siempre el nombre mitológico *Troco* en vez de *Throco.*

f) Si bien en el prólogo imprimo *abencerrajes* refiriéndome a la familia (según el criterio de los historiadores como Seco de Lucena), en los textos uso *Abencerrajes,* según presentan los impresos y manuscritos de la época.

Se eligió este criterio para que quedase patente que, en contraste con lo que había de ocurrir con la norma uniforme académica, en el *Abencerraje* (como en las obras impresas en la época) hay que contar con la coexistencia de formas distintas para un mismo uso; esto es un rasgo creador que se encuentra aún más desarrollado en los manuscritos y que pasa atenuado a la grafía de los impresos, un episodio para el moldeamiento de la lengua literaria en el que intervendrán los impresores. Con estas reformas hechas para que la lectura de la obra sea más fácil al lector de nuestro tiempo, queda patente, sin embargo, la peculiar condición del texto literario según se encuentra en el original publicado. En el caso de la novela, el lector percibe, a través de la hábil redacción, una impresión de viveza y frescura expresivas, aseguradas en una naturalidad artística que resulta, al mismo tiempo, delicadamente preciosista. En el caso de los romances, procedentes a veces de impresos de épocas diversas, y otras de manuscritos, se encuentra una variedad de gustos expresivos tal como es propio de esta modalidad poética.

Bibliografía

Divido la bibliografía en dos partes, una para la novela y otra sobre el Romancero relacionado con el *Abencerraje*. En la parte de la novela doy primero la bibliografía de los textos de la obra, y después la de la de los estudios y textos por el orden alfabético de los autores. Esta bibliografía es selectiva y elijo los estudios más recientes; en mi libro *Cuatro estudios...*, 1957, se encuentra una amplia mención de los estudios hasta dicho año.

I. Bibliografía de la novela

1. *Ediciones de la «Crónica»*

a) *Chrónica,* 1561. El único ejemplar conocido se halla en la Real Academia de la Historia; no tiene portada y carece también del folio primero y de los preliminares (si los tuvo); comienza en el folio a ij y sigue hasta el final. En el colofón se dice que se imprimió el libro en Toledo, en casa de Miguel Ferrer, el 12 de octubre de 1561. De este texto se han hecho las siguientes ediciones:

Rumeau, Aristide, *«L'Abencérage.* Un texte retrouvé», *Bulletin Hispanique,* 59 (1957), págs. 369-395; el autor publica una edición rigurosamente paleográfica del mencionado ejemplar con unas páginas preliminares de comentario fundamentalmente bibliográfico.

López Estrada, Francisco, «El *Abencerraje* de Toledo, 1561. Edición crítica y comentarios», *Anales de la Universidad Hispa-*

lense, 19 (1959), págs. 1-60. En este artículo establezco una edición crítica de esta misma edición y la comparo con las otras ya conocidas, añadiendo comentarios literarios e históricos sobre el texto.

Denomino a esta edición *Chrónica,* porque el comienzo de la obra es el siguiente: «Dize la Chrónica...» (fol. a iij).

b) Corónica, s. a. Un ejemplar incompleto perteneció a la Biblioteca de los Duques de Medinaceli; la portada trae un grabado de dos caballeros combatiendo; viene luego la parte de texto que sirve de título: *Parte de la Corónica del ínclito Infante don Fernando que ganó Antequera...* y sigue dando un resumen del contenido; texto incompleto, pues sólo se conserva hasta el folio c j. De lo que queda del libro hay edición facsímil, por Georges Cirot «Une édition mal connue et incomplète de l'histoire de l'Abencerraje», *Bulletin Hispanique,* 25 (1923), págs. 172-173 y láminas. Impreso también en Henri Merimée, «*El Abencerraje* d'après diverses versions publiées au xvie siècle», *Bulletin Hispanique,* 30 (1928), págs. 147-181. Publicado asimismo en mi edición *Cuatro textos...,* 1957, págs. 349-374. Lo llamo *Corónica* porque en el comienzo aparece: «Dize la Corónica...»

Ambos textos son de la misma familia y presentan sólo ligeras variantes; Rumeau formula la hipótesis de que la *Chrónica* es posterior a la *Corónica* e impresa en presencia de ella y de un manuscrito. A mí me parece que la relación es inversa, como muestro en mi edición. A veces los menciono con el título común de *Crónica.*

2. *Edición de la «Diana», 1562*

Apareció por vez primera en una edición de la *Diana,* de Jorge de Montemayor, impresa en Valladolid por Francisco Fernández de Córdoba y con fecha de 1561 en la portada y la del 7 de enero de 1562 en el colofón. Además de las numerosas ediciones del libro pastoril que la contienen, véase la mía en *Cuatro textos...,* 1957, págs. 377-413. La volví a dar en mi edición de *El remedio en la desdicha* (véase el núm. 6 de esta lista, págs. 191-210) para que pudiera hacerse el contraste entre la versión de la *Diana* y la comedia de Lope. Eugenia Fosalba Vela la hizo objeto de una edición crítica y de un minucioso estudio en *El Abencerraje pastoril*, Barcelona, Universitat Autónoma, 1990. También, en mi edición de la *Diana* (Madrid, Espasa-Calpe, 1993, Col. Austral, A. 309), págs. 371-406.

3. *Edición del «Inventario», 1565*

El texto de esta edición apareció en el libro titulado *Inventario*, de Antonio de Villegas, impreso en Medina del Campo, en 1565 por Francisco del Canto (fols. CIXv a CXXXIIv); segunda edición en igual lugar y por el mismo impresor, 1577 (fols. 93v a 112v), con el mismo texto, salvo levísimos pormenores gráficos. Publiqué una edición moderna con estudio y bibliografía en «Joyas bibliográficas», Madrid, 1955, del conjunto del *Inventario*. También en mi edición *Cuatro textos...*, 1957, págs. 307-345. El texto español y su traducción inglesa, en Francisco López Estrada y John Esten Keller, *Antonio de Villegas: El Abencerraje*, Chapel Hill, Universidad de Carolina del Norte, 1964.

4. *Manuscrito de «La historia del moro...»*

El texto se halla en el ms. 1752 de la Biblioteca Nacional de Madrid; edición por George Irving Dale, «An unpublished version of the *Historia de Abindarráez y Jarifa*», *Modern Language Notes,* 39 (1924), págs. 31-33; otra vez, con nueva valoración del mismo, en María Soledad Carrasco Urgoiti, «El relato *Historia del Moro y Narváez* y el *Abencerraje*», *Revista Hispánica Moderna,* 34 (1968), págs. 242-255.

5. *El poema épico de Balbi de Correggio*

Francisco Balbi de Correggio agrandó el leve argumento de la novela hasta convertirlo en un poema épico: *Historia de los amores del valeroso moro Abinde Aráez y de la hermosa Jarifa Abençarases...*, obra impresa en 1593 en Milán; edición y estudio de Homero

Serís, publicados en el *Nuevo ensayo de una biblioteca española de libros raros o curiosos,* Nueva York, Hispanic Society of America, 1964, págs. 148-168. Sobre la relación con la novela, véase mi estudio *Cuatro textos...,* 1957, págs. 148-168.

6. *La comedia de Lope de Vega «El remedio en la desdicha» (1620)*

Lope de Vega publicó una comedia con el título *El remedio en la desdicha,* escrita probablemente entre 1596 y 1602 y publicada en la *Trezena parte* de sus *Comedias,* que es una versión teatral del argumento del *Abencerraje* tomando como fundamento la versión de Montemayor, según él mismo declara en la dedicatoria preliminar de la obra a su hija Marcela del Carpio. En la nota 14 de la introducción se menciona la edición que María Teresa López García-Berdoy y yo hemos realizado de esta comedia de Lope (Barcelona, Promociones y Publicaciones Universitarias, 1991), acompañada de la versión de Montemayor en que se basa.

7. *Versión italiana, incluida en las «Ducento novelle...» de Celio Malespini (Venecia, 1609); y francesa de Pierre Davity*

Probablemente hacia 1595 el italiano Orazio (llamado comúnmente Celio) Malespini (1531-h. 1609) había escrito una libre versión del texto del *Abencerraje* según la *Diana* (que formó parte de las *Ducento novelle...,* publicadas en Venecia, 1609), con el título de «Liberalita grande usata ad un moro de Federico *(sic)* Narváez» [en el texto aparece luego *Roderico*]. Se trata de una versión libre que Encarnación Sánchez García, que publicó el texto y editó la obra, explica así: «Malespini establece una relación con el texto de la *Diana* más compleja, menos inocente y más creativa que la que podríamos esperar de una simple traducción» («Una traducción italiana manierista de *El Abencerraje*», *Annali dell'Istituto Universitario Orientale (Sezione Romanza),* 27 (1985), págs. 491-537). Malespini vierte también como *novelle* las tramas de Ismenia, Selvagia y Alano, y de la pastora Belisa de la *Diana* de Montemayor, dándoles entidad de novela; en Venecia habían aparecido las ediciones de la Diana de 1568, 1574 y 1585. En este caso del *Abencerraje,* Malespini calla la fuente y reinterpreta el original recargando la estructura formal de la obra y abriendo así la vía europea de la maurofilia. Algunos años después, Anton Giulio Brignole Sale, político y escritor genovés, entremetió en su libro *Della Storia Spagnola* (Génova, 1640) el episodio de don Rodrigo y el Abencerraje con los nombres cambiados en un libro de aventuras caballerescas sobre la conquista de Granada. El *Abencerraje* entra, pues, en la difusión europea del moro granadino.

En un libro misceláneo del cosmógrafo francés Pierre Davity (o D'Avity), señor de Montmartin, gentilhombre de la cámara del Rey, titulado *Les Travaux sans travail* (de fines del siglo XVI, pues hay edición corregida de Lyon, T. Ancelin, 1601), hay una versión libre del *Abencerraje* en la que su autor convierte al moro en un enamorado *précieux* en la vía que anuncia el preciosismo eufeísta de la literatura francesa del siglo XVII, según la información de Barbara Matulka, «On the European diffusion of the "Last of the Abencerrajes" Story to the Sixteenth Century», *Hispania,* 16 (1933), págs. 369-388.

II. BIBLIOGRAFÍA DE ESTUDIOS

1984 BURSHATIN, Israel, «Power, Discourse, and Metaphor in *Abencerraje*», *Modern Language Notes,* 39 (1984), págs. 195-213. Precisa la función de la metáfora dimanante de *vencer* (en la guerra y en la amistad) que se desarrolla en el relato, en cuanto a la relación de reconocida amistad, con que el moro, *vencido,* entabla con Narváez.

1956 [1988] CARRASCO URGOITI, María Soledad, *El moro de Granada en la literatura,* Madrid, Revista de Occidente, 1956. Es el estudio más completo sobre la materia, con amplia bibliografía del moro en la literatura española y en las extranjeras. Reeditado con un estudio preliminar de Juan Martínez Ruiz en Granada, Universidad, 1988.

1969 *Ídem, El problema morisco en Aragón a comienzos del reinado de Felipe II,* Valencia, University of North Carolina, 1969, «Estudios de Hispanófila», II.

1972 *Ídem*, «Las cortes señoriales del Aragón mudéjar y el *Abencerraje*», *Homenaje a Joaquín Casalduero,* Madrid, Gredos, 1972, págs. 115-128. Ambos estudios tratan de las implicaciones históricas de los moriscos en Aragón en el tiempo en que se publican las ediciones de la *Crónica* del *Abencerraje.*

1976 *Ídem, The Moorish Novel. «El Abencerraje» and Pérez de Hita,* Boston, Twayne, 1976. Estudio de estos dos libros moriscos, precedido de una información sobre el reino moro de Granada, los moriscos y la función del moro noble en el Romancero.

1982 *Ídem*, «El trasfondo social de la novela morisca del siglo XVI», *Dicenda,* 2 (1983), págs. 43-56. Referido en general a la novela morisca, toca el *Abencerraje* (págs. 45-47) resumiendo la posición de la autora que lo interpreta como un testimonio del apoyo de los señores aragoneses a los moriscos.

1971 CARRIAZO ARROQUIA, Juan de Mata, *En la Frontera de Granada,* vol. I del *Homenaje al Profesor Carriazo,* Sevilla, Facultad de Filosofía y Letras, 1971. Colección de catorce artículos de carácter histórico fundamentalmente, indispensables para el conocimiento de la vida en la frontera en el siglo XV.

1965 GLENN, Richard F., «The moral implications of *"El Abencerraje"*», *Modern Language Notes,* 80 (1965), págs. 202-209. Expone las cualidades de Narváez y del abencerraje, el primero como hombre virtuoso y el segundo, como valiente, y estudia la trama moral en que se apoyan.

1972 GIMENO CASALDUERO, Joaquín, *«El Abencerraje y la hermosa Jarifa:* composición y significado», *Nueva Revista de Filología Hispánica,* 21 (1972), págs. 1-22. Establece un esquema de la estructura de la obra a través de cinco núcleos que desarrollan los temas del amor y del heroísmo para lograr una virtud senequista, cuya ejemplaridad se ofrece a los contemporáneos.

1965 [1988] GUILLÉN, Claudio, «Individuo y ejemplaridad en el *Abencerraje*», *Collected Studies in honour of Américo Castro's Eightieeth Year,* Oxford, The Lincoln Lodge Research Library, 1965, págs. 175-197. El libro resalta una contradicción entre la ficción novelesca y la realidad «oficial» de la sociedad que lo lee; el comportamiento de Narváez es un caso de ejemplaridad de orden universal que establece una ética esperanzadora. Reeditado en *El primer Siglo de Oro. Estudios sobre géneros y modelos,* Barcelona, Crítica, 1988, págs. 109-153.

1971 Ídem, «Literature as Historical contradiction: *El Abencerraje,* the Morish Novel, and the Eclogue», ensayo número 6 de la obra *Literature as System. Essays toward the Theory of Literary History,* Princeton, University Press, 1971, págs. 159-217. Reuniendo el anterior artículo y el material de estudio esparcido en su edición del *Abencerraje* (Nueva York, The Laurel, 1966), C. Guillén establece una comparación entre los sistemas de la novela morisca y la égloga, de la que resulta la primera caracterizada como una literatura «saludable» que sobrepasa el idealismo a través de la contradicción.

1972 GUARDIOLA, Conrado, «*El Abencerraje y la hermosa Jarifa.* Estudios de la estructura», *Homenaje a Francisco Ynduráin,* Zaragoza, Universidad, 1972, págs. 163-174. Aplica el concepto de narrema al desarrollo argumental del *Abencetraje,* y encuentra que su constitución está organizada para demostrar la idea moral de que la acción virtuosa trae una recompensa; no cree que sea obra básicamente caballeresca.

1978 HOLZINGER, Walter, «The Militia of Love, War, and Virtue in the *Abencerraje y la hermosa Jarifa:* a Structural and Sociological Reassessment», *Revista Canadiense de Estudios Hispánicos,* 2 (1978) págs. 227-238. El autor de la obra, refiriéndose a hechos de la historia medieval cercana, aprovecha los hechos de los personajes lo mismo que las figuras de la Antigüedad para que den al lector una lección de virtud, sin valerse de apoyos religiosos.

1974 LEÓN, Pedro R., «*Cortesía,* clave del equilibrio estructural y temático en el *Abencerraje*», *Romanische Forschungen,* 86 (1974), págs. 255-264. Estudia en particular la función de la cortesía en la sucesión armoniosa del argumento (en parte a cargo del moro y en parte, del cristiano) como clave de la obra; la novela se basa en el equilibrio cortés que se establece entre los que primero son contendientes y luego amigos por su común participación en esta cortesía.

1957 LÓPEZ ESTRADA, Francisco, *«El Abencerraje y la hermosa Jarifa»: Cuatro textos y su estudio,* Madrid, Publicaciones de la Revista de Archivos, Bibliotecas y Museos, 1957. Contiene la edición de los cuatro textos que se conocían en la fecha de su publicación, precedida de un amplio estudio en que se recoge la bibliografía sobre el asunto hasta 1957.

1964 *Ídem,* «Sobre el cuento de la honra del marido defendida por el amante, atribuido a Rodrigo de Narváez», *Revista de Filología Española,* 47 (1964), págs. 331-339. Aportación de otra versión de esta parte del *Abencerraje,* de Villegas, procedente de un *Libro de cosas notables... de Córdoba.*

1965 *Ídem,* «Tres notas al *Abencerraje*», *Revista Hispánica Moderna,* 31 (1965), págs. 265-273. Sobre la palabra *contemplación,* usada en el libro.

1989 *Ídem,* «Rodrigo de Narváez, Alcaide de Antequera, vencedor de sí mismo», *Homenaje al profesor Antonio Gallego Morell,* Granada, Universidad, 1989, II, págs. 261-271. Referente al cuento inserto en la edición del *Inventario,* y su posible relación con un romance conservado en la tradición judeoespañola; datos sobre su extensión en «Sobre el romance "Donde hay damas, hay amores" referido a una tradición antequerana», *Jábega,* Revista de la Diputación Provincial de Málaga, 63 (primer trimestre), 1989, págs. 62-65.

1972 MORALES OLIVER, Luis, *La novela morisca de tema granadino,* Madrid, Universidad Complutense, 1972. Estudio del Abencerraje y de las *Guerras Civiles de Granada* y otras novelas, así como el catálogo del grupo morisco.

1954 MORENO BÁEZ, Enrique, «El tema del *Abencerraje* en la literatura española», *Archivum,* 4 (1954), págs. 310-329. Información general con comentarios críticos del desarrollo del asunto.

1974 NAVARRO GONZÁLEZ, Alberto, «Judíos, moros y cristianos», *Cuadernos hispanoamericanos,* 286 (1974), págs. 131-146. Disminuye la posible función del converso en la literatura y estima que el planteamiento de los casos morales en la novela era común entre los cristianos viejos.

1987 REY HAZAS, Antonio, y SEVILLA ARROYO, Florencio, «Contexto y punto de vista en el *Abencerraje*», *Dicenda,* 6

(1987), I, págs. 419-428. Sobre el sentido político y social posiblemente implícito en el *Abencerraje*.

1977 SHIPLEY, George A., «La obra literaria como monumento histórico: el caso del *Abencerraje*», *Journal of Hispanic Philology,* 2 (1977), págs. 103-120. Insiste en el valor histórico contemporáneo de la obra como proyección de una situación vivida por los españoles de la época. El *Abencerraje* contiene, a su manera, el problema de las castas subyugadas en el siglo XVI.

1960 SECO DE LUCENA PAREDES, Luis, *Los Abencerrajes. Leyenda e Historia,* Granada, F. Román, 1960. Noticia general del asunto, con los textos literarios y su valoración histórica y la bibliografía de las fuentes árabes.

1959 WHINNOM, Keith, «The Relationship of the Three Texts of *El Abencerraje*», *The Modern Language Review,* 54 (1959), págs. 507-517. Intento de resolver la relación entre los textos de *Corónica,* s. a., *Chrónica,* 1561, *Diana,* 1562, e *Inventario,* 1565, para lo cual propone el *stemma:*

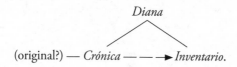

III. BIBLIOGRAFÍA SOBRE EL ROMANCERO DE ABINDARRÁEZ, JARIFA Y RODRIGO DE NARVÁEZ

Sobre el Romancero en general, por el orden de su vinculación con el tema:

1953 MENÉNDEZ PIDAL, Ramón, *Romancero Hispánico (hispano-portugués, americano y sefardí). Teoría e historia,* Madrid, Espasa-Calpe, 1953, dos tomos. La historia más completa del Romancero español.

1953 MONTESINOS, José F., «Algunos problemas del Romancero nuevo» [1953], en *Ensayos y estudios de Literatura española,* Madrid, Revista de Occidente, 1970, págs. 109-139. Notas críticas sobre las características de los romances nuevos, aplicables a los moriscos.

1955 LÓPEZ ESTRADA, Francisco, «La conquista de Antequera en el Romancero y en la épica de los Siglos de Oro», en *Anales de la Universidad Hispalense*, XVI (1955), págs. 133-192. Estudio de los romances que tratan de la toma de Antequera y edición de sus textos.

La referencia de la fuente textual de cada uno de los romances contenidos en esta Antología figura al fin de la pieza correspondiente. Con objeto de dar unidad temática a la selección, he añadido unos títulos que pongo en cabeza del romance entero o del fragmento, según los casos, y que son de mi invención.

Novela del Abencerraje y Jarifa

Este es un vivo retrato de virtud, liberalidad, esfuerzo, gentileza y lealtad, compuesto de Rodrigo de Narváez y el Abencerraje y Jarifa[1], su padre y el rey de Granada, del cual, aunque los dos formaron y dibujaron todo el cuerpo, los demás no dejaron de ilustrar la tabla y dar algunos rasguños en ella[2]. Y como el precioso diamante engastado en oro o en plata o en plomo siempre tiene su justo y cierto valor por los quilates de su oriente, así la virtud en cualquier dañado subjecto que asiente, resplandece y muestra sus accidentes[3], bien que la esencia y efecto de ella es como el grano que, cayendo en la buena tierra, se acrescienta, y en la mala se perdió[4].

---

[1] Abindarráez significa 'el hijo del capitán' y Jarifa 'la noble, preciosa o hermosa'; en árabe el nombre indica el alto linaje de estos moros.

[2] Para esta presentación de la obra, el autor usa términos de la pintura: su retrato tiene un *cuerpo* (en las empresas y los emblemas son las figuras que sirven para significar algo), formado por los dos héroes, cristiano y moro, y la ilustración de la *tabla* (o superficie del cuadro) fue completada por *rasguños* (dibujos en apunte o tanteo).

[3] Hay dos interpretaciones sobre el sentido de este párrafo: una, que sea este «dañado objeto» Abindarráez, pues carece de la gracia del bautismo; con ello Villegas se ponía a cubierto del alto ennoblecimiento que se daba a un infiel. Y la otra es que no se refiere a un personaje del libro, sino en general a la actitud de los lectores, a su capacidad de recibir la virtud y asimilarla (J. Gimeno, 1972, págs. 17-18).

[4] Parafrasea la tan conocida parábola del sembrador (Mateo, 13, 3 y ss.; Marcos, 4, 3 y ss.; Lucas, 8, 5 y ss.).

El Abencerraje

Dice el cuento que en tiempo del infante don Fernando, que ganó a Antequera, fue un caballero que se llamó Rodrigo de Narváez, notable en virtud y hechos de armas[5]. Éste, peleando contra moros, hizo cosas de mucho esfuerzo, y particularmente en aquella empresa y guerra de Antequera hizo hechos dignos de perpetua memoria, sino que esta nuestra España tiene en tan poco el esfuerzo, por serle tan natural y ordinario, que le paresce que cuanto se puede

---

[5] Rodrigo de Narváez se halla citado en la *Crónica de Juan II,* de Alvar García de Santa María, en la parte del relato de la toma de Antequera: «Y el Infante [don Fernando] hizo su alcaide de la villa y castillo de Antequera a un caballero Rodrigo de Narváez, que él criara de niño, que era un buen caballero mozo, de buen seso y buenas costumbres, y era hijo de Fernán Ruiz de Narváez, sobrino del Obispo de Jaén» (ms. de la Biblioteca Colombina, Sevilla, folio 151). La versión impresa de la *Crónica* altera ligeramente el manuscrito y añade: «mandóle que tuviese en la fortaleza veinte hombres de armas, tales cuales él entendiese que convenía para la guerra y guarda». Es probable que de aquí proceda la referencia de los escuderos con el número alterado, pues antes de la aparición del *Abencerraje* se habían publicado las ediciones de la *Crónica* de Logroño, 1516, y Sevilla, 1543. La caracterización de don Rodrigo se establece sobre el tópico de la unidad de virtud y armas, sustento de la personalidad del caballero perfecto. Sobre la Antequera de los tiempos de la conquista cristiana, véase *La toma de Antequera,* textos de Ben al-Jatib, Fernán Pérez de Guzmán, Fernando del Pulgar, Alvar García de Santa María y Ghillebert de Lannoy, ed. citada en la nota 4 de la Introducción.

hacer es poco; no como aquellos romanos y griegos, que al
hombre que se aventuraba a morir una vez en toda la vida
le hacían en sus escriptos inmortal y le trasladaban en las estrellas[6]. Hizo, pues, este caballero tanto en servicio de su ley y
de su rey, que después de ganada la villa le hizo alcaide de ella
para que, pues había sido tanta parte en ganalla, lo fuese en
defendella[7]. Hízole también alcaide de Álora[8], de suerte que
tenía a cargo ambas fuerzas, repartiendo el tiempo en ambas

---

[6] La idea de que España fuese nación que preciase en poco el esfuerzo
de sus hombres llegó a constituir un tópico que hallamos en poetas, no-
velistas e historiadores. Así dice Fernán Pérez de Guzmán en sus *Loores de
los claros varones de España:*

> España no caresció
> de quien virtudes usase,
> mas menguó y fallesció
> en ella quien las notase;
> para que bien se igualase
> debían ser los caballeros,
> de España, y los Homeros
> de Grecia, que los loase.

(Cancionero castellano del siglo XV,
ed. N. B. A. E., I, Madrid, 1912, pág. 707.)

Y esto se halla hasta Gracián: «Asegúrote que no ha habido más hechos
ni más heroicos que los que han obrado los españoles, pero ningunos más
mal escritos por los mismos españoles.» *(El Criticón,* ed. de M. Romera-
Navarro, Filadelfia, University of Pennsylvania, 1940, III, pág. 271, Parte III, crisi VIII.)

[7] Obsérvese el adorno de la rima interna ley-rey, y las coincidencias
villa-ella-ganalla-defendella en posición de epífora al fin de grupos de
entonación.

[8] Ya se comentó en el prólogo que esto es imposible desde un punto
de vista histórico, pues Álora no cayó en poder de los cristianos hasta 1482,
y Rodrigo de Narváez murió en el año 1424. La pronunciación de este
topónimo en la comedia de Lope *El remedio en la desdicha* era llana pues
riman Álora (v. 817) con *señora* (v. 818). En la novela imprimimos el
texto con la pronunciación actual, y en la parte del Romancero usamos
la llana para la correspondencia entre las rimas.

partes y acudiendo siempre a la mayor necesidad. Lo más ordinario residía en Álora, y allí tenía cincuenta escuderos hijosdalgo a los gajes del rey para la defensa y seguridad de la fuerza; y este número nunca faltaba, como los inmortales del rey Dario, que en muriendo uno ponían otro en su lugar[9]. Tenían todos ellos tanta fee y fuerza en la virtud de su capitán, que ninguna empresa se les hacía difícil, y así no dejaban de ofender a sus enemigos y defenderse de ellos; y en todas las escaramuzas que entraban, salían[10] lo vencedores, en lo cual ganaban honra y provecho, de que andaban siempre ricos.

Pues una noche, acabando de cenar, que hacía el tiempo muy sosegado, el alcaide dijo a todos ellos estas palabras:

—Parésceme, hijosdalgo, señores y hermanos míos, que ninguna cosa despierta tanto los corazones de los hombres como el continuo ejercicio de las armas, porque con él se cobra experiencia en las propias y se pierde miedo a las ajenas. Y de esto no hay para que yo traya testigos de fuera, porque vosotros sois verdaderos testimonios. Digo esto porque han pasado muchos días que no hemos hecho cosa que nuestros nombres acresciente, y sería dar yo mala cuenta de mí y de mi oficio si, teniendo a cargo tan virtuosa gente y valiente compañía, dejase pasar el tiempo en balde. Parésceme, si os paresce, pues la claridad y seguridad de la noche nos convida[11], que

---

[9] La referencia tiene su fuente primera en Heródoto, VII, 83. Dario fue la pronunciación antigua, como muestra la medida de los versos y las rimas de los Siglos de Oro.

[10] Se acumulan las antítesis dentro de la misma frase; *ofender-defenderse, entraban-salían*.

[11] Solía aprovecharse la luna llena para las correrías. Así lo dice la glosa de Gonzalo de Montalván a la V serranilla de Santillana: Y aunque veis que es luna llena / y moros vengan a entrar... (A. Leforestier, «Note sur deux serranillas...», *Revue Hispanique,* 36 [1916], pág. 150). Y desde el punto de vista del moro, se halla la relación entre la noche clara y el amor que manifiestan los cantos líricos: «Luna que reluces / toda la noche alumbras» (*Antología de la poesía española. Lírica de tipo tradicional,* Madrid, Gredos, 1975, pág. 100.)

será bien dar a entender a nuestros enemigos que los valedores de Álora no duermen. Yo os he dicho mi voluntad; hágase lo que os paresciere.

Ellos respondieron que ordenase, que todos le seguirían. Y nombrando nueve de ellos, los hizo armar; y siendo armados, salieron por una puerta falsa que la fortaleza tenía, por no ser sentidos, porque la fortaleza quedase a buen recado. Y yendo por su camino adelante, hallaron otro que se dividía en dos. El alcaide les dijo:

—Ya podría ser que, yendo todos por este camino, se nos fuese la caza por este otro. Vosotros cinco os id por el uno, yo con estos cuatro me iré por el otro; y si acaso los unos toparen enemigos que no basten a vencer, toque uno su cuerno, y a la señal acudirán los otros en su ayuda.

Yendo los cinco escuderos por su camino adelante hablando en diversas cosas, el uno de ellos dijo:

—Teneos, compañeros, que o yo me engaño o viene gente.

Y metiéndose entre una arboleda que junto al camino se hacía, oyeron ruido. Y mirando con más atención, vieron venir por donde ellos iban un gentil moro en un caballo ruano; él era grande de cuerpo y hermoso de rostro y parescía muy bien a caballo[12]. Traía vestida una marlota de car-

---

[12] Esta viva descripción de las vestimentas del moro tiene abundantes precedentes en el Romancero y en los relatos históricos, como puede verse en el viaje del señor de Montigny (1501) que figura en el apéndice II. Obsérvese cómo esta parte resulta acrecida en los romances, que insisten en la nota de lujo y riqueza. Aquí es de notar que el color rojo vivo de los vestidos del moro era la señal de su pasión, símbolo de la llama ardiente de amor que lo consumía. Pérez de Hita dice de un personaje de sus *Guerras civiles* «...su caballero Zaide, el cual muchas veces mudaba trajes y vestidos conforme la pasión que sentía. Unas veces vestía negro solo; otras, negro y pardo; otras, de morado y blanco, por mostrar su fe; lo pardo y negro, por mostrar su trabajo. Otras veces vestía azul, mostrando divisa de rabiosos celos; otras, de verde, por significar su esperanza; otras veces, de amarillo, por mostrar desconfianza, y el día que hablaba con su Zaida se ponía de encarnado y blanco, señal de alegría y contento. De

mesí y un albornoz de damasco del mismo color, todo bordado de oro y plata. Traía el brazo derecho regazado y labrada en él una hermosa dama[13] y en la mano una gruesa y hermosa lanza de dos hierros[14]. Traía una darga y cimitarra, y en la cabeza una toca tunecí que, dándole muchas vueltas por ella, le servía de hermosura y defensa de su persona. En este hábito venía el moro mostrando gentil continente y cantando un cantar que él compuso en la dulce membranza de sus amores que decía:

---

esta suerte muy claro se echaba de ver en Granada los efectos de su causa y de sus amores» (ed. cit., de P. Blanchard-Demouge, I, pág. 45).

[13] El párrafo resulta confuso: *regazado* puede valer como 'arremangado' pues se refiere a la manga que cubre el brazo, si bien el sentido primario es 'alzar las faldas' (Covarrubias, *Tesoro*). En la expresión «labrada en él una hermosa dama» hay que entender 'traía una hermosa dama labrada en él [en el brazo]', en el adorno de la manga, claro es. En una fiesta de Granada un caballero moro lleva una manga labrada que vale cuatro mil doblas: «la manga que traía en el brazo derecho era de gran estima y la había labrado la linda Galiana a mucha costa». Y por esta manga se dijo aquel romance que tan agradable ha sido a todos: «En el cuarto de Comares.» Estas mangas con una empresa se llevaban en el brazo derecho; así en el «Romance del casamiento de Fátima y Xarifa» se dice que llevaban «los brazos derechos todos / con empresas de quien aman» (Padilla, *Thesoro...*, fol. 378). Narváez, poco después hiere al moro en el brazo derecho, y esto se convierte en un hecho simbólico pues la herida física lo es también sentimental por impedirle el camino a las bodas. Las otras versiones no traen esta indicación: las de la *Crónica* sólo: «El brazo derecho arremangado», y nada la de la *Diana*.

[14] Covarrubias indica sobre la lanza: «en la lanza hallamos dos extremos, y al uno llamamos hierro de la lanza y al otro cuento» (s. v. *cuento);* y en la otra parte «otras [lanzas] son largas, y algunas de ellas con dos hierros, y otras con hierro y cuento» (s. v. *lanza).* Esta clase de lanza aparece en el romance de don Alonso de Aguilar: «Gruesa lanza con dos hierros / en la su mano llevaba» (Romance «Estando el rey don Fernando»); en un romance tardío, el de Azarque el granadino, se menciona «una lanza con dos hierros / entrambos de agudo temple» (Romance «Ensíllenme el potro rucio», *Romancero general).* Según esto parece que estas lanzas de dos hierros podían valer por ambos extremos para el combate. Las lanzas que los moros regalan a don Rodrigo son de hierro y de cuentos de oro.

Nascido en Granada,
criado en Cártama,
enamorado en Coín,
frontero de Álora[15].

Aunque a la música faltaba el arte, no faltaba al moro
contentamiento; y como traía el corazón enamorado, a
todo lo que decía daba buena gracia. Los escuderos, trans-
portados en verle, erraron poco de dejarle pasar, hasta que
dieron sobre él[16]. Él, viéndose salteado, con ánimo gentil
volvió por sí y estuvo por ver lo que harían. Luego, de los

---

[15] La estrofilla no tiene ni medida ni rima. Pudiera ser un cantarcillo
topográfico, aprovechado para el caso. Si el cantar existió antes que la
novela, pudiera ser el motivo por el cual se diese la discordancia de los
datos históricos que se señaló, pero existe un grave inconveniente: el cantar no es tradicional pues en el texto se dice que lo compuso el moro de
manera adecuada a sus amores. Por otra parte cabe pensar que el cantar
no fuese más que la enunciación breve de lo que el moro cantase, en
árabe, como correspondía a su natural. La *Crónica* intercala entre el primero y segundo verso: «de una linda mora»; para las otras formas de
distintas versiones, véase mi estudio *Cuatro textos...,* 1957, págs. 245-249.
Sobre la pronunciación de *Álora,* téngase en cuenta lo que se dijo en
la nota 8, y lo mismo hay que decir aquí en cuanto a *Cártama:* que en la
comedia de Lope *El remedio en la desdicha* la pronunciación era llana,
pues riman *Cartama* (v. 375 de la cit. ed.) y *ama* y *fama* (vv. 377 y 379).
Aquí, por lo tanto, puede leerse *Cartáma* y *Alóra.* En esta parte de la
versión de Villegas ambos topónimos se acentúan según la pronunciación actual, pero no así en el Romancero, como se indicará en los lugares
convenientes.
[16] La frontera creó una técnica de guerra, propia de aquella circunstancia
(Caro Baroja, *Los moriscos del reino de Granada,* ed. cit., págs. 62-63). Esta
habilidad en las escaramuzas caracterizó al caballero de la frontera, y a
fines del siglo XV y comienzos del XVI las damas cantaban:

Caballero de frontera,
sois en todo, mi señor,
siempre escaramuzador
por de dentro y por de fuera.

(Luis Milán, *Libro intitulado el cortesano,* ed. cit., pág. 22.)

cinco escuderos, los cuatro se apartaron y el uno le acometió; mas como el moro sabía más de aquel menester, de una lanzada dio con él y con su caballo en el suelo. Visto esto, de los cuatro que quedaban, los tres le acometieron, paresciéndoles muy fuerte; de manera que ya contra el moro eran tres cristianos, que cada uno bastaba para diez moros, y todos juntos no podían con este solo. Allí se vio en gran peligro porque se le quebró la lanza y los escuderos le daban mucha priesa; mas fingiendo que huía, puso las piernas a su caballo y arremetió al escudero que derribara, y como una ave se colgó de la silla y le tomó su lanza, con la cual volvió a hacer rostro a sus enemigos, que le iban siguiendo pensando que huía, y diose tan buena maña que a poco rato tenía de los tres los dos en el suelo. El otro que quedaba, viendo la necesidad de sus compañeros, tocó el cuerno y fue a ayudarlos. Aquí se trabó fuertemente la escaramuza, porque ellos estaban afrontados de ver que un caballero les duraba tanto, y a él le iba más que la vida en defenderse de ellos. A esta hora le dio uno de los escuderos una lanzada en un muslo que, a no ser el golpe en soslayo, se le pasara todo. Él, con rabia de verse herido, volvió por sí y diole una lanzada, que dio con él y con su caballo muy mal herido en tierra.

Rodrigo de Narváez, barruntando la necesidad en que sus compañeros estaban, atravesó el camino, y como traía mejor caballo se adelantó; y viendo la valentía del moro, quedó espantado, porque de los cinco escuderos tenía los cuatro en el suelo, y el otro, casi al mismo punto. Él le dijo:

—Moro, vente a mí, y si tú me vences, yo te aseguro de los demás.

Y comenzaron a trabar brava escaramuza, mas como el alcaide venía de refresco, y el moro y su caballo estaban heridos, dábale tanta priesa que no podía mantenerse; mas viendo que en sola esta batalla le iba la vida y contentamiento, dio una lanzada a Rodrigo de Narváez que, a no

tomar el golpe en su darga, le hubiera muerto. Él, en rescibiendo el golpe, arremetió a él y diole una herida en el
brazo derecho, y cerrando luego con él, le trabó a brazos y,
sacándole de la silla, dio con él en el suelo. Y yendo sobre él
le dijo:

—Caballero, date por vencido; si no, matarte he.

—Matarme bien podrás —dijo el moro— que en tu
poder me tienes, mas no podrá vencerme sino quien una
vez me venció.

El alcaide no paró en el misterio con que se decían estas
palabras, y usando en aquel punto de su acostumbrada virtud, le ayudó a levantar, porque de la herida que le dio el
escudero en el muslo y de la del brazo, aunque no eran grandes, y del gran cansancio y caída, quedó quebrantado; y tomando de los escuderos aparejo, le ligó las heridas. Y hecho
esto le hizo subir en un caballo de un escudero, porque el
suyo estaba herido, y volvieron el camino de Álora. Y yendo
por él adelante hablando en la buena disposición y valentía
del moro, él dio un grande y profundo sospiro, y habló algunas palabras en algarabía, que ninguno entendió[17]. Rodrigo
de Narváez iba mirando su buen talle y disposición; acordá-
basele de lo que le vio hacer, y parecíale que tan gran tristeza

---

[17] Aunque los cristianos no hubiesen entendido la *algarabía* del moro
(más bien musitada que dicha, como se desprende del texto), el bilingüis-
mo era frecuente en la frontera, y hay diversas anécdotas que lo ilustran,
sobre todo entre los moros nobles. Una de ellas la cuenta Hernando de
Baeza diciendo que con ocasión de que Boabdil estuvo en Alcaudete,
hizo amistad con él, y luego le mandó llamar a Granada cuando fue preso,
do rey: «y lo que escribí arriba de aquella jornada en que el rey fue alza-
do rey: «y lo que escribí arriba de aquella jornada en que el rey fue alza-
todo lo oí de su boca del mismo rey, estando su real persona hablando
conmigo solo en lengua castellana, aunque muy cerrada. Y ansí es verdad
que hablándole un día, le dije que por qué no hablaba la lengua castellana, pues sabía mucho de ella; me respondió una palabra bien de notar,
diciendo: "Sí la hablo, mas como no la sé sueltamente, he miedo de errar,
y el yerro en la boca de los reyes es muy feo"» *(Relación de algunos de los
sucesos de los últimos tiempos de la guerra de Granada,* Madrid, Bibliófilos
Españoles, 1868, pág. 36.)

en ánimo tan fuerte no podía proceder de sola la causa que allí parescía. Y por informarse de él le dijo:

—Caballero, mirad que el prisionero que en la prisión pierde el ánimo, aventura el derecho de la libertad. Mirad que en la guerra los caballeros han de ganar y perder, porque los más de sus trances están subjectos a la fortuna; y paresce flaqueza que quien hasta aquí ha dado tan buena muestra de su esfuerzo, la dé ahora tan mala. Si sospiráis del dolor de las llagas, a lugar vais do seréis bien curado. Si os duele la prisión, jornadas son de guerra a que están subjectos cuantos la siguen. Y si tenéis otro dolor secreto, fialde de mí, que yo os prometo como hijodalgo de hacer por remediarle lo que en mí fuere[18].

El moro, levantando el rostro que en el suelo tenía, le dijo:

—¿Cómo os llamáis, caballero, que tanto sentimiento mostráis de mi mal?

Él le dijo:

—A mí llaman Rodrigo de Narváez; soy alcaide de Antequera y Álora.

El moro, tornando el semblante algo alegre, le dijo:

—Por cierto, ahora pierdo parte de mi queja pues ya que mi fortuna me fue adversa, me puse en vuestras manos, que, aunque nunca os vi sino ahora, gran noticia tengo de vuestra virtud y experiencia de vuestro esfuerzo; y porque no os parezca que el dolor de las heridas me hace sospirar, y también porque me paresce que en vos cabe cualquier secreto, mandad apartar vuestros escuderos y hablar os he dos palabras.

---

[18] En un libro de sentencias senequistas: «Obedezca la nobleza a las fuerzas de Fortuna, principalmente si es en buena guerra oprimida» *(Primera parte de las Sentencias que hasta nuestros tiempos...,* Lisboa, G. Galhardo, 1554, fol. g ij). Tanto el cristiano don Rodrigo como el moro mencionan a la fortuna como un poder sobrehumano que reparte las dichas y desdichas entre los hombres, aquí nobles.

El alcaide los hizo apartar y, quedando solos, el moro, arrancando un gran sospiro, le dijo[19]:

—Rodrigo de Narváez, alcaide tan nombrado de Álora, está atento a lo que te dijere, y verás si bastan los casos de mi fortuna a derribar un corazón de un hombre captivo. A mí llaman Abindarráez el mozo, a diferencia de un tío mío, hermano de mi padre, que tiene el mismo nombre[20]. Soy de los Abencerrajes de Granada, de los cuales muchas veces habrás oído decir; y aunque me bastaba la lástima presente sin acordar las pasadas, todavía te quiero contar esto. Hubo en Granada un linaje de caballeros[21] que llamaban

---

[19] En este punto se inicia la parte sentimental del relato. En este caso aparece el amor fraternal entre niños que viven como hermanos; el asunto se encuentra en Longo, en algunos episodios de las *Metamorfosis* de Ovidio (Biblis y Cauno, Yphis y Yante, IX), y también en Píramo y Tisbe, que no viven bajo el mismo techo, sino en casas vecinas. Se halla también en los libros medievales de *Flores y Blancaflor.* También la lírica del Renacimiento lo trata, como en la *Arcadia,* VIII, y Garcilaso, Égloga III): «desde mis tiernos y primeros años...».

[20] Hay que notar aquí la precisión en referir el parentesco de este tío por parte de padre, que lleva su mismo nombre; esto es propio de la lengua árabe, que tiene palabras diferentes para estos grados de parentesco. En el *Arte para ligeramente saber la lengua arábiga,* Granada, 1505 (facsímil, Nueva York, 1928) se indica el tío hermano de padre, de madre, de abuelo y de abuela; y en tía se distinguen cinco, según sea hermana de padre, madre, abuelo, abuela o primo. A este tío del moro se han querido atribuir las aventuras del Romancero nuevo que se apartan del argumento del *Abencerraje,* pero aún es despropósito mayor, pues estas son relativamente más modernas que las otras, y un tío ha de preceder al *sobrino,* aun dentro de la falta de sentido cronológico de estos argumentos poéticos y no históricos.

[21] La preocupación por las cuestiones de linaje era propia de los árabes de Granada, y a ello concedían gran importancia. Recordaban con cuidado sus familias y parientes, y en este caso Abindarráez subraya la fama de la suya, tan ligada a los sucesos interiores de la vida de Granada durante el siglo XV. Resulta difícil señalar qué episodio es el que fue origen de esta represión de un rey granadino contra la familia de los Abencerrajes, que aquí va a referir Abindarráez. La política interior del reino de Granada fue en extremo compleja, y la familia de este moro estuvo en diversas

los Abencerrajes, que eran flor de todo aquel reino[22], porque en gentileza de sus personas, buena gracia, disposición y gran esfuerzo hacían ventaja a todos los demás; eran muy estimados del rey y de todos los caballeros, y muy amados y quistos de la gente común. En todas las escaramuzas que entraban, salían vencedores[23], y en todos los regocijos de caballería se señalaban; ellos inventaban las galas y los trajes. De manera que se podía bien decir que en ejercicio de paz y de guerra eran regla y ley de todo el reino. Dícese que nunca hubo Abencerraje escaso ni cobarde ni de mala disposición. No se tenía por Abencerraje el que no servía dama, ni se tenía por dama la que no tenía Abencerraje por servidor[24]. Quiso la fortuna, enemiga de su bien, que de

---

ocasiones en el favor o en la desgracia de los varios reyes andaluces de este siglo. En el estudio de Seco de Lucena antes citado se hallará la bibliografía adecuada para el mejor esclarecimiento de este confuso asunto. Hubo sobre todo dos ejecuciones de Abencerrajes, muy sonadas: la de Saad (1462), que apartó a la familia del favor de este rey y la llevó a favorecer los designios de su hijo Muley Hacén, proclamado en 1464; y después la del propio Muley Hacén, que acabó por perseguir el bando que le había ayudado a lograr el poder, hasta que en 1482 una conjura animada por los Abencerrajes dio al traste con él, y ayudó a la proclamación de Boabdil. El autor del *Abencerraje* no pretende establecer precisión ni nominal ni cronológica con respecto al hecho de la cruel matanza, sino recoger la memoria del mismo como fondo trágico sobre el que proyectar la desgracia de los amores de este Abencerraje, tal como va a ser contada a don Rodrigo.

[22] Ya en el Romancero se había acuñado esta expresión, sobre todo procedente del romance de la pérdida de Alhama, cuando se reconviene al rey moro por su crueldad:

> por matar los Bencerrajes
> que era la *flor de Granada.*

[23] En el monólogo de Abindarráez abundan las figuras retóricas de ornato que elevan el tono de la expresión; véase aquí la antítesis *entraban-salían,* en disposición sintáctica de anadiplosis.

[24] Aquí usa el ornato de la distribución inversa (a.bxb.a): *Abencerraje-dama, dama-Abencerraje,* en disposición sintáctica de isocolon.

esta excelencia cayesen de la manera que oirás[25]. El Rey de Granada hizo a dos de estos caballeros, los que más valían, un notable e injusto agravio, movido de falsa información que contra ellos tuvo. Y quísose decir, aunque yo no lo creo, que estos dos, y a su instancia otros diez, se conjuraron de matar al rey y dividir el Reino entre sí, vengando su injuria. Esta conjuración, siendo verdadera o falsa, fue descubierta, y por no escandalizar el Rey el Reino, que tanto los amaba, los hizo a todos una noche degollar, porque a dilatar la injusticia, no fuera poderoso de hacella. Ofresciéronse al Rey grandes rescates por sus vidas, mas él aun escuchallo no quiso. Cuando la gente se vio sin esperanzas de sus vidas, comenzó de nuevo a llorarlos. Llorábanlos los padres que los engendraron, y las madres que los parieron; llorábanlos las damas a quien servían, y los caballeros con quien se acompañaban[26]. Y toda la gente común alzaba un tan grande y continuo alarido como si la ciudad se entrara de enemigos, de manera que si a precio de lágrimas se hubieran de comprar sus vidas, no murieran los Abencerrajes tan miserablemente. Vees aquí en lo que acabó tan esclarescido linaje y tan principales caballeros como en él había[27]; considera cuánto tarda la fortuna en subir un hombre, y cuán presto le derriba; cuánto tarda en crescer un árbol, y cuán presto va al fuego; con

---

[25] La descripción dc la desgracia de los Abencerrajes posee un doble entendimiento para los que interpretan la obra como la creación de un escritor converso: junto al sentido que posee en el curso de la anécdota, esta viva descripción sería el testimonio de la situación en que se hallaban los judíos arrojados de sus hogares o convertidos de una manera forzada. Véase, por ejemplo, G. A. Shipley, 1978, págs. 118-119.

[26] En este caso hay una reiteración anafórica de *llorábanlos* con una distribución directa paralela *padres-madres, damas-caballeros,* acompañada de isocolon aditivo.

[27] La consideración de Abindarráez sobre la suerte de su familia tiene un marcado carácter senequista; así en la Epístola XCI a Lucilio: «Quidquid longa series multis laboribus, multa Deum indulgentia, struxit, id unus dies spargit ac dissipat» (J. Gimeno, 1972, pág. 8).

cuánta dificultad se edifica una casa, y con cuánta brevedad se quema. ¡Cuántos[28] podrían escarmentar en las cabezas de estos desdichados, pues tan sin culpa padecieron con público pregón! Siendo tantos y tales y estando en el favor del mismo Rey, sus casas fueron derribadas, sus heredades, enajenadas y su nombre dado en el Reino por traidor. Resultó de este infelice caso que ningún Abencerraje pudiese vivir en Granada, salvo mi padre y un tío mío, que hallaron innocentes de este delicto, a condición que los hijos que les nasciese[n], enviasen a criar fuera de la ciudad para que no volviesen a ella, y las hijas casasen fuera del Reino.

Rodrigo de Narváez, que estaba mirando con cuánta pasión le contaba su desdicha, le dijo:

—Por cierto, caballero, vuestro cuento es extraño, y la sinrazón que a los Abencerrajes se hizo fue grande, porque no es de creer que siendo ellos tales, cometiesen traición.

—Es como yo lo digo —dijo él—. Y aguardad más y veréis cómo desde allí todos los Bencerrajes deprendimos a ser desdichados. Yo salí al mundo del vientre de mi madre, y por cumplir mi padre el mandamiento del Rey, envióme a Cártama al alcaide que en ella estaba, con quien tenía estrecha amistad. Éste tenía una hija, casi de mi edad, a quien amaba más que a sí, porque allende de ser sola y hermosísima, le costó la mujer, que murió de su parto. Ésta y yo en nuestra niñez siempre nos tuvimos por hermanos porque así nos oíamos llamar. Nunca me acuerdo haber pasado hora que no estuviésemos juntos. Juntos nos criaron, juntos andábamos, juntos comíamos y bebíamos. Nasciónos de esta conformidad un natural amor que fue

---

[28] La anáfora *cuánto* sirve para enumerar las calamidades de los Abencerrajes, establecidas sucesivamente por comparaciones antitéticas: *subir-derriba, crecer el árbol-ir al fuego, edificar la casa-quemarse*. Por esta sucesión de antítesis resulta mejor la lección del grupo *Crónica* que en la segunda de ellas trae: «cuánto tarda un árbol en crecer y cuán presto un viento lo derriba».

siempre creciendo con nuestras edades. Acuérdome que entrando una siesta en la huerta que dicen de los jazmines, la hallé sentada junto a la fuente, componiendo su hermosa cabeza. Miréla vencido de su hermosura, y parescióme a Sálmacis[29] y dije entre mí: «¡Oh, quién fuera Troco para parescer ante esta hermosa diosa!» No sé cómo me pesó de

---

[29] En esta parte la alusión mitológica se hace directa, y el moro, al contemplar la hermosura de ella, recuerda la fábula de Sálmacis y Hermafrodito (también perteneciente al mencionado libro IV de las *Metamorfosis*, 285-388), tan conocida: esta ninfa se enamoró de Hermafrodito, que se bañaba en la fuente que ella presidía, por la gran belleza de este hijo de Hermes y Afrodita, y pidió a los dioses que fundiesen sus dos cuerpos en uno solo. La fábula había sido traducida por Juan de Mena, y está contenida en la Glosa de la *Coronación* (hacia 1439); la versión es uno de los mejores trozos en prosa de este poeta. Se encuentra también el trozo en lengua romance en la traducción de Jorge de Bustamante, 1546 y 1551, anteriores a la aparición del *Abencerraje*. Hermafrodito recibía también los nombres de Andrógino (por sus dos naturalezas) y Troco (probablemente asociado de manera confusa con *trocar* «cambiar»). Los paralelos se pueden establecer sobre varios puntos: en efecto, el trozo en la traducción de Bustamante, dice así: «y siempre [la ninfa] se andaba circundando con lentos y espaciosos pasos su estanque o represa unas veces peinando sus rubios y dorados cabellos con muy blanco peine de marfil, otras veces bañando su alabastrino cuerpo en las claras y limpias aguas, de quien otras veces para mirar su hermosa figura en la sombra se aprovechaba en lugar de nítido y transparente espejo. Otras se recostaba sobre las blandas y delicadas hojas, flores y verdes yerbas, y otras de aquella diversa hermosura de flores de mil colores pintadas hacía lindas guirnaldas con que coronaba y componía su cabeza» (*Metamorfosis*, IV, págs. 310-314). Abindarráez quiere sólo ser Troco con la esperanza de que él despierte algún amor en Jarifa. Además hay que contar con que este juego de la doncella que se peina y las coronas de flores se encuentra también en el *Amadís;* Galaor encuentra en una rica cámara de un palacio a «una hermosa donzella que sus cabellos hermosos peinava, y como vio a Galaor puso en su cabeça una hermosa guirnalda» (*Amadís de Gaula,* Madrid, Cátedra, 1987, ed. de Juan Manuel Cacho Blecua, I, cap. XII, pág. 353). El cancionero tradicional atribuye un sentido erótico al hecho de peinarse los cabellos; aquí es el galán moro el que, viéndola a ella peinarse, se corona con la guirnalda para poder jugar con los términos coronado y vencido, pues por temer que los dos sean hermanos, no puede declarar el amor que siente intuitivamente.

que fuese mi hermana; y no aguardando más, fuime a ella y cuando me vio con los brazos abiertos me salió a rescebir y, sentándome junto a sí, me dijo: «Hermano, ¿cómo me dejaste tanto tiempo sola?» Yo la respondí: «Señora mía, porque ha gran rato que os busco, y nunca hallé quien me dijese dó estábades, hasta que mi corazón me lo dijo. Mas decidme ahora, ¿qué certinidad tenéis vos de que seamos hermanos?» «Yo, dijo ella, no otra más del grande amor que te tengo, y ver que todos nos llaman hermanos.» «Y si no lo fuéramos, dije yo, ¿quisiérasme tanto?» «¿No ves, dijo ella, que, a no serlo, no nos dejara mi padre andar siempre juntos y solos?» «Pues si ese bien me habían de quitar, dije yo, más quiero el mal que tengo.» Entonces ella, encendiendo su hermoso rostro en color, me dijo: «¿Y qué pierdes tú en que seamos hermanos?» «Pierdo a mí y a vos», dije yo. «Yo no te entiendo, dijo ella, mas a mí me parece que sólo serlo nos obliga a amarnos naturalmente.» «A mí sola vuestra hermosura me obliga, que antes esa hermandad paresce que me resfría algunas veces.» Y con esto bajando mis ojos de empacho de lo que le dije, vila en las aguas de la fuente al proprio como ella era, de suerte que donde quiera que volvía la cabeza, hallaba su imagen, y en mis entrañas, la más verdadera[30]. Y decíame yo a mí mismo, y pesárame que alguno me lo oyera: «Si yo me anegase ahora en esta

---

[30] En relación con el pasaje de la fábula antigua, este es uno de los trozos más afortunados en cuanto a la condición platónica de esta apreciación de la belleza: el lugar común de la poesía amorosa aparece expuesto con sorprendente rapidez: *a)* imagen real que el enamorado ve junto a sí; *b)* la imagen reflejada en el agua; *c)* la imagen *verdadera* en las entrañas del alma. Esto llega a decirse en forma extrema en el *Cortesano*, de Baltasar Castiglione: «por aquella escalera que tiene en el más bajo grado la sombra de la hermosura sensual, y subamos por ella adelante a aquel aposiento alto donde mora la celestial, dulce y *verdadera* hermosura» (Madrid, C.S.I.C., 1942, pág. 392); y en cuanto al cortesano viejo «y aun con la fuerza de la imaginación se formará dentro en sí mismo aquella hermosura mucho más hermosa que en la verdad no será» *(ídem,* pág. 389).

fuente donde veo a mi señora, ¡cuánto más desculpado moriría yo que Narciso![31]. Y si ella me amase como yo la amo, ¡qué dichoso sería yo! Y si la fortuna nos permitiese vivir siempre juntos, ¡qué sabrosa vida sería la mía!» Diciendo esto levantéme, y volviendo las manos a unos jazmines de que la fuente estaba rodeada, mezclándolos con arrayán hice una hermosa guirnalda y poniéndola sobre mi cabeza, me volví a ella, coronado y vencido. Ella puso los ojos en mí, a mi parescer más dulcemente que solía, y quitándomela la puso sobre su cabeza. Parescióme en aquel punto más hermosa que Venus cuando salió al juicio de la manzana[32], y volviendo el rostro a mí, me dijo: «Qué te paresce ahora de mí, Abindarráez?» Yo la dije: «Parésceme que acabáis de vencer el mundo[33] y que os coronan por reina y señora de él.» Levantándose me tomó por la mano y me dijo: «Si eso fuera, hermano, no perdiérades vos nada.» Yo, sin la responder, la seguí hasta que salimos de la huerta. Esta engañosa vida trajimos mucho tiempo, hasta que ya el amor por vengarse de nosotros nos descubrió la cautela, que, como

---

[31] Otra pieza del preciosismo de la expresión del trozo: aludiendo a la fábula de Narciso, que murió ahogado en la fuente contemplando su propia hermosura, el moro contempla en la fuente la belleza de Jarifa, impresa por el amor en su alma, de manera que quedan confundidas ambas naturalezas.

[32] Se refiere al conocido episodio en que Juno, Minerva y Venus se disputaron la manzana que había de ser entregada a la más bella, según el juicio de Paris, tal como se encuentra en diversas partes (como en las *Heroidas,* XVI).

[33] Obsérvese el eco del principio virgiliano *omnia vincit amor (Bucólicas,* X, 69); recuérdese que antes había dicho: «Miréla vencido de su hermosura.» Sobre la relación que pudiera haber existido entre el proceso de los amores de los moros y los libros sentimentales, y también sobre los ecos de la fábula ovidiana de Píramo y Tisbe, véase Eugenia Fosalba Vela, «La tradición sentimental en el amor de Abindarráez y Jarifa», en *El relato intercalado,* Madrid, Fundación Juan March y SELGC, 1992, págs. 89-97, ampliación del estudio citado en la reseña bibliográfica de la edición de la *Diana,* 1562.

fuimos creciendo en edad, ambos acabamos de entender que no éramos hermanos. Ella no sé lo que sintió al principio de saberlo, mas yo nunca mayor contentamiento recebí, aunque después acá lo he pagado bien. En el mismo punto que fuimos certificados de esto, aquel amor limpio y sano que nos teníamos, se comenzó a dañar y se convirtió en una rabiosa enfermedad que nos durará hasta la muerte. Aquí no hubo primeros movimientos que escusar, porque el principio de estos amores fue un gusto y deleite fundado sobre bien, mas después no vino el mal por principio, sino de golpe y todo junto: ya yo tenía mi contentamiento puesto en ella, y mi alma, hecha a medida de la suya. Todo lo que no veía en ella, me parecía feo, escusado y sin provecho en el mundo; todo mi pensamiento era en ella. Ya en este tiempo nuestros pasatiempos eran diferentes; ya yo la miraba con recelo de ser sentido, ya tenía invidia del sol que la tocaba. Su presencia me lastimaba la vida, y su ausencia me enflaquescía el corazón[34]. Y de todo esto creo que no me debía nada porque me pagaba en la misma moneda[35]. Quiso la fortuna, envidiosa de nuestra dulce vida, quitarnos este contentamiento en la manera que oirás. El Rey de Granada, por mejorar en cargo al alcaide de Cártama, envióle a mandar que luego dejase aquella fuerza y se fuese a Coín, que es aquel lugar frontero del vuestro, y que me dejase a mí en Cártama en poder del alcaide que a ella viniese. Sabida esta desastrada nueva por mi señora y por mí, juzgad vos, si algún tiempo fuisteis enamorado[36], lo que podríamos sentir. Juntámonos

---

[34] De nuevo se ha intensificado el ornato; después de las leves anáforas de los dos párrafos precedentes: *todo* y *ya,* la antítesis *presencia-ausencia* va seguida de una disposición e isocolon con una distribución paralela sintáctica: sujeto-verbo-complemento, con el miembro común *me,* que marca la intensidad de la participación subjetiva.

[35] Otra antítesis: *deber-pagar.*

[36] Pudiera ser que el añadido del cuento de la honra (véase la nota 54) se hubiese inspirado en esta condicional, que también traen los textos de la serie *Crónica.*

en un lugar secreto a llorar nuestro apartamiento. Yo la llamaba: «Señora mía, alma mía, solo bien mío», y otros dulces nombres que el amor me enseñaba. «Apartándose vuestra hermosura de mí, ¿ternéis alguna vez memoria de este vuestro captivo...?» Aquí las lágrimas y sospiros atajaban las palabras. Yo, esforzándome para decir, malparía algunas razones turbadas de que no me acuerdo porque mi señora llevó mi memoria consigo. Pues ¡quién os contase las lástimas que ella hacía, aunque a mí siempre me parescían pocas! Decíame mil dulces palabras que hasta ahora me suenan en las orejas; y al fin, porque no nos sintiesen, despedímonos con muchas lágrimas y sollozos dejando cada uno al otro por prenda un abrazado, con un sospiro arrancado de las entrañas. Y porque ella me vio en tanta necesidad y con señales de muerte, me dijo: «Abindarráez, a mí se me sale el alma en apartarme de ti; y porque siento de ti lo mismo, yo quiero ser tuya[37] hasta la muerte; tuyo es mi corazón, tuya es mi vida, mi honra y mi hacienda; y en testimonio de esto, llegada a Coín, donde ahora voy con mi padre, en teniendo lugar de hablarte o por ausencia o indisposición suya[38], que ya deseo, yo te avisaré. Irás donde yo estuviere y allí yo te daré lo que solamente llevo conmigo, debajo de nombre de esposo, que de otra suerte ni tu lealtad ni mi ser lo consentirían, que todo lo demás muchos días ha que es tuyo.» Con esta promesa mi corazón se sosegó algo y beséla las manos por la merced que me prometía. Ellos se partieron otro día; yo quedé como quien,

---

[37] La repetición de *tuya* (palabra clave en el curso del relato, que culmina en la entrega de Jarifa a su enamorado) refuerza lo que va diciendo la dama.

[38] La *Crónica* en sus dos versiones trae: «... lugar de hablarte o por indisposición o absencia suya, como yo [corregiría *ya*] lo deseo, yo te avisaré». De esta manera se interpreta mejor que el deseo recae sólo sobre la ausencia del padre pues no resultaría adecuado a tan noble dama que deseara un mal para su progenitor; también cabe referir el deseo a la ocasión de hablarle.

caminando por unas fragosas y ásperas montañas, se le
eclipsa el sol. Comencé a sentir su ausencia ásperamente
buscando falsos remedios contra ella. Miraba las ventanas
do se solía poner, las aguas do se bañaba, la cámara en que
dormía, el jardín do reposaba la siesta[39]. Andaba todas sus
estaciones[40], y en todas ellas hallaba representación de mi
fatiga. Verdad es que la esperanza que me dio de llamarme
me sostenía, y con ella engañaba parte de mis trabajos,
aunque algunas veces de verla alargar tanto me causaba mayor pena y holgara que me dejara del todo desesperado,
porque la desesperación fatiga hasta que se tiene por cierta,
y la esperanza hasta que se cumple el deseo[41]. Quiso mi
ventura que esta mañana mi señora me cumplió su palabra
enviándome a llamar con una criada suya, de quien se fia-
ba, porque su padre era partido para Granada, llamado del

---

[39] La evocación de los lugares en donde el enamorado fue feliz se encuentra también en el romance de Carvajales «Terrible duelo hacía», que
se halla en los Cancioneros de Stúñiga, la Marciana y Roma. El poeta
recuerda desde la «cárcel» e imagina lo que habría sido hallarse en los
lugares donde tuvo su amor: «visitaré los lugares / do su señoría estaba»,
y exclama: «oh, finiestras tan robadas, / oh, cámara tan despojada» (*Cancionero de Roma*, ed. de M. Canal Gómez, Florencia, Sansoni, 1935, II,
págs. 20-24). El gran acierto del autor es la referencia a las aguas y al
jardín, temas tan propios del Al-Andalus granadino.

[40] *Andar las estaciones.* Es uno de los cruces de la expresión religiosa y
la profana en torno al tema del amor: Abindarráez visita los lugares en los
que vio a Jarifa —ventanas, aguas, cámara, jardín— y en todos recuerda
las circunstancias, y esto lo manifiesta valiéndose de la expresión religiosa
«andar las estaciones», existente ya en el mester de clerecía, usada por
Cervantes varias veces, o sea, ir ante una y otra de las representaciones
de la Pasión del Señor. Justamente con este mismo sentido de movimiento, la define Percivale en 1623 (*A Dictionary in Spanish and English*,
ed. con las adiciones de Minsheu): «Also the going from one church to
another, in remembrance of Christ's being or remaining so long on
Mount Calvary, so long in the garden, so long on the Cross, so long in the
sepulchre.»

[41] Aquí Abindarráez usa de manera reiterada la antítesis *esperanza-
desesperanza* para manifestar su angustiada situación.

Rey, para volver luego. Yo, resuscitado con esta buena nueva, apercebíme y dejando venir la noche por salir más secreto, púseme en el hábito[42] que me encontrastes por mostrar a mi señora el alegría de mi corazón; y por cierto no creyera yo que bastaran cient caballeros juntos a tenerme campo porque traía mi señora comigo, y si tú me venciste, no fue por esfuerzo, que no es posible, sino porque mi corta suerte o la determinación del cielo quisieron atajarme tanto bien. Así que considera tú ahora en el fin de mis palabras el bien que perdí y el mal que tengo. Yo iba de Cártama a Coín, breve jornada, aunque el deseo la alargaba mucho, el más ufano Abencerraje que nunca se vio: iba a llamado de mi señora, a ver a mi señora, a gozar de mi señora y a casarme con mi señora. Véome ahora herido, captivo y vencido[43] y lo que más siento, que el término y coyuntura de mi bien se acaba esta noche. Déjame, pues, cristiano, consolar entre mis sospiros, y no los juzgues a flaqueza, pues lo fuera muy mayor tener ánimo para sufrir tan riguroso trance[44].

Rodrigo de Narváez quedó espantado y apiadado del estraño acontescimiento del moro y paresciéndole que para su negocio ninguna cosa le podría dañar más que la dilación, le dijo:

---

[42] Recuérdese lo que se dijo sobre el sentido simbólico del color rojo vivo de los vestidos que llevaba el moro cuando fue derrotado.

[43] De nuevo aquí una antítesis de situación: el tiempo pasado, cuando iba libre por el camino y el tiempo presente, *ahora,* en que se encuentra prisionero. Esta antítesis de significación se encuentra completada por la enumeración acumulativa: *a llamado, a ver, a gozar, a casar,* de tipo ascendente, que culmina en la epífora *señora,* que se opone a los términos: *herido, captivo, vencido,* todos ellos enlazados por una rima epífora. Obsérvese que este cúmulo retórico sirve para cerrar la exposición de Abindarráez.

[44] Los libros de divulgación senequista traen sentencias semejantes; así: «No hay prosperidad tan perfecta que descontentamiento no haya» *(Primera parte de las sentencias que hasta nuestros tiempos..., ob. cit., fol. viij).*

—Abindarráez, quiero que veas que puede más mi virtud que tu ruin fortuna. Si tú me prometes como caballero de volver a mi prisión dentro de tercero día, yo te daré libertad para que sigas tu camino, porque me pesaría de atajarte tan buena empresa[45].

El moro, cuando lo oyó, se quiso de contento echar a sus pies y le dijo:

—Rodrigo de Narváez, si vos eso hacéis, habréis hecho la mayor gentileza de corazón que nunca hombre hizo, y a mí me daréis la vida. Y para lo que pedís, tomad de mí la seguridad que quisiéredes, que yo lo cumpliré.

El alcaide llamó a sus escuderos y les dijo:

—Señores, fiad de mí este prisionero, que yo salgo fiador de su rescate[46].

Ellos dijeron que ordenase a su voluntad. Y tomando la mano derecha entre las dos suyas al moro, le dijo:

—¿Vos prometéisme, como caballero, de volver a mi castillo de Álora a ser mi prisionero dentro de tercero día?

Él le dijo:

—Sí prometo.

---

[45] La conducta de Narváez coincide con los preceptos senequistas; así en cuanto a ofrecer ayuda a los afligidos que la necesitan: «Afflictis vero et fortius laborantibus, multo libentius subveniet. Quotiens poterit, fortunae intercede; ubi enim opibus potius utetur aut viribus, quam ad restituenda, quae casus impulit» (Tratado sobre la clemencia, II, VI, ed. de Didot, pág. 351). Y en lo de vencer a la misma fortuna: «Quid enim majus, aut fortius, quam malam fontunam retundere?» (ídem, I, V, pág. 333).

[46] Para que mejor se comprenda el gesto generoso de Narváez, hay que tener en cuenta que en las treguas de 1410, que habían seguido a la toma de Antequera, se acordó que: «... si huyere cautivo cristiano o moro, rendido o no rendido, y llegare a su tierra, que ninguna de las partes sea tenudo de lo tornar [...] y será libre el dicho cautivo; y comprehenda este juicio a los cautivos de amas partes, cristianos y moros por igual» (véase mi estudio Cuatro textos..., 1957, págs. 202-203). Aunque lo más probable es que el autor no conociese estos acuerdos, queda, sin embargo, patente el recuerdo del problema tan común del cautiverio en la frontera.

—Pues id con la buena ventura y si para vuestro negocio tenéis necesidad de mi persona o de otra cosa alguna, también se hará.

Y diciendo que se lo agradescía, se fue camino de Coín a mucha priesa. Rodrigo de Narváez y sus escuderos se volvieron a Álora hablando en la valentía y buena manera del moro.

Y con la priesa que el Abencerraje llevaba, no tardó mucho en llegar a Coín, yéndose derecho a la fortaleza. Como le era mandado, no paró hasta que habló una puerta que en ella había, y deteniéndose allí, comenzó a reconocer el campo por ver si había algo de que guardarse y viendo que estaba todo seguro, tocó en ella con el cuento de la lanza, que esta era la señal que le había dado la dueña. Luego ella misma le abrió y le dijo:

—¿En qué os habéis detenido, señor mío? Que vuestra tardanza nos ha puesto en gran confusión. Mí señora ha rato que os espera; apeaos y subiréis donde está[47].

---

[47] La tardanza de Abindarráez en llegar hasta las bodas con Jarifa se repite tanto en la difusión de la novela y de los romances que se refieren a este asunto, que llegó a adoptar un sentido festivo. G. Correas recoge el refrán «Tarde llegó Vindarráez. A propósito de no llegar a tiempo» *(Vocabulario de refranes y frases proverbiales [1627]*, Burdeos, Université, 967, ed. de Louis Combet, pág. 490). Aprovecha este sentido refranístico Calderón de la Barca en su comedia *La dama duende,* en la que la parca de señor y criado se refieren a ella; dice Cosme, el gracioso, a don Manuel, después de citar otras tardanzas literarias:

> ...y puesto que hemos perdido
> por un hora tan gran fiesta.
> no por un hora perdamos
> la posada; que si llega
> tarde Abindarráez, es ley
> que haya de quedarse fuera.

> (Madrid, Cátedra, 1976, ed. de A. Valbuena
> Briones, jorn. I, vv. 37-41, pág. 51.)

Que es lo contrario de lo que se cuenta en la novela, pues aunque llegó tarde, logró lo que se propuso.

Él se apeó y puso su caballo en un lugar secreto que allí halló. Y dejando lanza con su darga y cimitarra, llevándole la dueña por la mano lo más paso que pudo por no ser sentido de la gente del castillo, subió por una escalera hasta llegar al aposento de la hermosa Jarifa, que así se llamaba la dama. Ella, que ya había sentido su venida, con los brazos abiertos le salió a rescebir. Ambos se abrazaron sin hablarse palabra del sobrado contentamiento. Y la dama le dijo:

—¿En qué os habéis detenido, señor mío? Que vuestra tardanza me ha puesto en gran congoja y sobresalto.

—Mi señora —dijo él—, vos sabéis bien que por mi negligencia no habrá sido, mas no siempre suceden las cosas como los hombres desean.

Ella le tomó por la mano y le metió en una cámara secreta. Y sentándose sobre una cama que en ella había, le dijo:

—He querido, Abindarráez, que veáis en qué manera cumplen las captivas de amor sus palabras, porque desde el día que os la di por prenda de mi corazón, he buscado aparejos para quitárosla[48]. Yo os mandé venir a este mi castillo a ser mi prisionero, como yo lo soy vuestra, y haceros señor de mi persona y de la hacienda de mi padre debajo de nombre de esposo, aunque esto, según entiendo, será muy contra su voluntad, que como no tiene tanto conoscimiento de vuestro valor y experiencia de vuestra virtud como yo, quisiera darme marido más rico, mas yo vuestra persona y mi contentamiento tengo por la mayor riqueza del mundo.

Y diciendo esto bajó la cabeza mostrando un cierto empacho de haberse descubierto tanto. El moro la tomó entre sus brazos y besándola muchas veces las manos por la merced que le hacía, la dijo:

—Señora mía, en pago de tanto bien como me habéis ofrescido, no tengo que daros que no sea vuestro, sino

---

[48] *Quitar,* «desempeñar una prenda»; Covarrubias en su *Tesoro* precisa: «Quitança, término de contadores, cuando pagan.» Jarifa se vale de la antítesis *dar algo por prenda-quitarlo.*

sola esta prenda en señal que os rescibo por mi señora y esposa[49].

Y llamando a la dueña se desposaron[50]. Y siendo desposados se acostaron en su cama, donde con la nueva expe-

---

[49] La versión de la *Chrónica,* 1561, es más explícita en esta parte; después de «... mi señora y esposa...», añade: «Y con esto podéis perder el empacho que cobraste cuando me recebiste como tal. Y así le dio un muy rico joyel que traía, y ella hizo lo mismo con él. Y con esto acostáronse en la cama, donde con la nueva...» La versión de la *Diana,* 1562, ofrece otra lección, pues en el párrafo antes indicado sigue: «Y con esto podéis perder el empacho y vergüenza que cobrastes cuando vos me recebistes a mí. Ella hizo lo mesmo. Y con esto se acostaron en su cama, donde con la nueva...» La versión de Villegas trae la dueña como testigo, y en las otras basta con la mutua palabra; la *Chrónica* menciona las prendas cambiadas, y la *Diana,* no.

[50] Era frecuente que en los libros de caballerías se celebrasen así los matrimonios, dándose la palabra ante la doncella, como pasó en el caso de Perión y Elisena, los padres de Amadís, con Darioleta *(Amadís de Gaula,* ed. cit., I, cap. I, pág. 239); estas son las normas del matrimonio clandestino, válido pero ilícito hasta 1564, en que en España se adoptan los acuerdos del Concilio de Trento, que requieren la publicidad del sacramento, salvo en señaladas excepciones. Véase Justina Ruiz de Conde, *El amor y el matrimonio secreto en los libros de caballerías,* Madrid, Aguilar, 1948. En esta parte, la obra se acerca a los libros de caballerías, en especial al *Amadís.* Y lo mismo ocurre en el caso de la discreción que el autor pide en cuanto a la escritura de los actos amorosos; en el *Amadís* (por obra probablemente de Rodríguez de Montalvo), después de que se dice que «Galaor folgó con la doncella aquella noche a su plazer» *(ídem,* I, cap. XII, pág. 354), se añade «Y sin que más aquí vos sea recontado, porque en los autos semejantes, que a buena conciencia ni a virtud no son conformes, con razón deve hombre por ellos ligeramente passar, teniéndolos en aquel pequeño grado que meresen ser tenidos» *(ídem).* En nuestro relato no hay un comentario moralizador, sino que se envía a la «contemplación» en lo que atañe a los actos amorosos; el *Abencerraje* de Toledo, 1561, trae «las cuales [amorosas obras y palabras] son más para callar que para escriptura» *(Chrónica,* ed. cit., pág. 23), que es una discreta lección. La versión de la *Diana* trae como la del *Inventario: contemplación,* y esto indica que no resultó extraña ni a uno ni a otro editor. Véase sobre esto mi artículo «Tres notas al *Abencerraje»,* citado en la bibliografía, págs. 269-273, en que examino esta contemplación como una visión espiritual de orden platónico del hecho amoroso.

riencia encendieron más el fuego de sus corazones. En esta conquista pasaron muy amorosas obras y palabras, que son más para contemplación que para escriptura.

Tras esto, al moro vino un profundo pensamiento, y dejando llevarse de él, dio un gran sospiro. La dama, no pudiendo sufrir tan grande ofensa de su hermosura y voluntad, con gran fuerza de amor le volvió a sí y le dijo:

—¿Qué es esto, Abindarráez? Paresce que te has entristecido con mi alegría; yo te oyo sospirar revolviendo el cuerpo a todas partes. Pues si yo soy todo tu bien y contentamiento como me decías, ¿por quién sospiras?; y si no lo soy, ¿por qué me engañaste? Si has hallado alguna falta en mi persona, pon los ojos en mi voluntad, que basta para encubrir muchas; y si sirves otra dama, dime quién es para que la sirva yo; y si tienes otro dolor secreto de que yo soy ofendida, dímelo, que o yo moriré o te libraré de él[51].

El Abencerraje, corrido de lo que había hecho y paresciéndole que no declararse era ocasión de gran sospecha, con un apasionado sospiro la dijo:

—Señora mía, si yo no os quisiera más que a mí, no hubiera hecho este sentimiento, porque el pesar que comi-

***

[51] José Fradejas en su artículo «Algunas notas sobre *Enrique fi de Oliva,* novela del siglo XIV», *Actas del I Simposio de Literatura Española,* Salamanca, Universidad, 1981, págs. 311-360, establece un paralelo entre un episodio de esta novela medieval y esta parte de la obra, en el que Enrique, recién casado, está en la cama con Mergelina y también suspira; la dama se muestra celosa y él le dice que es por causa de su madre. Como el libro de caballerías se imprimió en 1498, 1501, 1533, 1545, 1548 y 1558, el autor del *Abencerraje* pudo conocer el precedente del libro medieval. «No es un plagio [...]; es una asimilación y recreación insuperable» (pág. 333). Por otra parte, en lo de ofrecerse Jarifa para servir a la otra dama, no hay que ver relación con la poligamia coránica; expresiones semejantes se encuentran en el *servicio de amor* declarado en la *Diana,* en donde Silvano, que ama a Diana lo mismo que el favorecido Sireno, le dice: «Pues no era de tan bajos quilates mi fe que no siguiese a mi señora no sólo en quererla, sino en querer todo lo que ella quisiese» (Madrid, Espasa-Calpe, 1993, pág. 87).

go traía, sufríale con buen ánimo cuando iba por mí solo; mas ahora que me obliga a apartarme de vos, no tengo fuerzas para sufrirle, y así entenderéis que mis sospiros se causan más de sobra de lealtad que de falta de ella; y porque no estéis más suspensa sin saber de qué, quiero deciros lo que pasa.

Luego le contó todo lo que había sucedido y al cabo la dijo:

—De suerte, señora, que vuestro captivo lo es también del alcaide de Álora; yo no siento la pena de la prisión, que vos enseñastes mi corazón a sufrir, mas vivir sin vos tendría por la misma muerte.

La dama con buen semblante le dijo:

—No te congojes, Abindarráez, que yo tomo el remedio de tu rescate a mi cargo, porque a mí me cumple más. Yo digo así: que cualquier caballero que diere la palabra de volver a la prisión, cumplirá con enviar el rescate que se le puede pedir[52]. Y para esto ponedle vos mismo el nombre que quisierdes, que yo tengo las llaves de las riquezas de mi padre; yo os las porné en vuestro poder; enviad de todo ello lo que os paresciere. Rodrigo de Narváez es buen caballero y os dio una vez libertad y le fiastes este negocio, que le obliga ahora a usar de mayor virtud. Yo creo que se contentará con esto, pues teniéndoos en su poder ha de hacer lo mismo.

El Abencerraje la respondió:

—Bien parece, señora mía, que lo mucho que me queréis no os deja que me aconsejéis bien; por cierto no cairé yo en tan gran yerro, porque si cuando venía a verme con vos, que iba por mí solo, estaba obligado a cumplir mi palabra, ahora, que soy vuestro, se me ha doblado la obliga-

---

[52] Graciosamente Jarifa imita aquí el lenguaje de los tratados de treguas, haciendo una ley para sí; compárese con los datos de Juan de Mata Carriazo: «Un alcalde entre los cristianos y los moros en la frontera de Granada», 1971, I, págs. 85-142.

ción. Yo volveré a Álora y me porné en las manos del alcaide de ella y, tras hacer yo lo que debo, haga él lo que quisiere[53].

—Pues nunca Dios quiera —dijo Jarifa— que, yendo vos a ser preso, quede yo libre, pues no lo soy. Yo quiero acompañaros en esta jornada, que ni el amor que os tengo ni el miedo que he cobrado a mi padre de haberle ofendido, me consentirán hacer otra cosa.

El moro, llorando de contentamiento, la abrazó y le dijo:

—Siempre vais, señora mía, acrescentándome las mercedes; hágase lo que vos quisierdes, que así lo quiero yo.

Y con este acuerdo, aparejando lo necesario, otro día de mañana se partieron llevando la dama el rostro cubierto por no ser conoscida.

Pues yendo por su camino adelante, hablando en diversas cosas, toparon un hombre viejo; la dama le preguntó dónde iba[54]. Él la dijo:

---

[53] En esto se guía por el consejo senequista vulgarizado: «Por la manera que fueres obligado, por esa cumple» *(Primera parte de las sentencias que hasta nuestros tiempos..., ob. cit., fol. g v.).*

[54] En este lugar Villegas intercala un episodio que cuenta este viejo a los amantes moros. Procede de un argumento desarrollado en diversas ocasiones por la literatura novelística, en el que un caballero desoye los ruegos de amor de una esposa que se enamoró de él por los elogios que oyó a su marido. Se halla a fines del siglo XII en un tratado de Walter Map, en un *lai,* en la vida del trovador Guilhem de Saint Didier, y en el libro de novelas *Il Pecorone* de Ser Giovanni, el Florentino, que para J. P. Wickersham Crawford («Un episodio de *El Abencerraje* y una *Novella* de Ser Giovanni», en *Revista de Filología Española,* 10 (1923), págs. 281-287) es la fuente de Villegas, después de 1558. Me parece aún mejor citar otra anécdota semejante, referida a don Manuel Ponce de León, y contada en el citado *Libro intitulado el Cortesano,* de Milán, pág. 84. Sobre esta narración añadida, véase mi artículo «Sobre el cuento de la honra...», 1964, en la bibliografía. Por otra parte, la anécdota conviene con el desarrollo de la trama de la novela. Si Narváez atendió los ruegos del enamorado moro, era porque él también estuvo enamorado de una dama, como aquí se cuenta. Sin embargo, Narváez no se deja llevar por la pasión cuando

—Voy a Álora a negocios que tengo con el alcaide de ella, que es el más honrado y virtuoso caballero que yo jamás vi.

Jarifa se holgó mucho de oír esto, paresciéndole que pues todos hallaban tanta virtud en este caballero, que también la hallarían ellos, que tan necesitados estaban de ella. Y volviendo al caminante le dijo:

—Decid, hermano: ¿sabéis vos de ese caballero alguna cosa que haya hecho notable?

—Muchas sé —dijo él—, mas contaros he una por donde entenderéis todas las demás. Este caballero fue primero alcaide de Antequera, y allí anduvo mucho tiempo enamorado de una dama muy hermosa, en cuyo servicio hizo mil gentilezas que son largas de contar; y aunque ella conoscía el valor de este caballero, amaba a su marido tanto que hacía poco caso de él. Acontesció así, que un día de verano, acabando de cenar, ella y su marido se bajaron a una huerta que tenía dentro de casa; y él llevaba un gavilán en la mano y lanzándole a unos pájaros, ellos huyeron y fuéronse a socorrer a una zarza; y el gavilán como astuto tirando el cuerpo afuera metió la mano y sacó y mató muchos de ellos. El caballero le cebó y volvió a la dama y la dijo: «¿Qué os parece, señora, del astucia con que el gavilán encerró los pájaros y los mató? Pues hágoos saber que cuando el alcaide de Álora[55] escaramuza con los moros, así los sigue y así los mata.» Ella, fingiendo no le conoscer, le preguntó quién era. «Es el más valiente y virtuoso caballero que yo hasta hoy vi.» Y comenzó a hablar de él muy altamente, tanto que a la dama le vino un

conoce las circunstancias del favor de la dama y triunfa en él la virtud, que es el dominio de sí mismo. El héroe es consecuente en este señorío de la propia persona, acorde con las manifestaciones de generosidad que engendra la amistad entre los que fueron enemigos.

[55] Esta narración se observa que está añadida pues insiste en los mismos errores cronológicos del argumento central: si bien indica que este Narváez fue el primer alcaide de Antequera, también lo sitúa en Álora, despropósito histórico.

cierto arrepentimiento y dijo: «¡Pues cómo! ¿Los hombres están enamorados de este caballero, y que no lo esté yo de él, estándolo él de mí? Por cierto, yo estaré bien disculpada de lo que por él hiciere, pues mi marido me ha informado de su derecho.» Otro día adelante se ofresció que el marido fue fuera de la ciudad y no pudiendo la dama sufrirse en sí, envióle llamar con una criada suya. Rodrigo de Narváez estuvo en poco de tornarse loco de placer, aunque no dio crédito a ello acordándosele de la aspereza que siempre le había mostrado. Mas con todo eso, a la hora concertada, muy a recado fue a ver la dama, que le estaba esperando en un lugar secreto, y allí ella echó de ver el yerro que había hecho y la vergüenza que pasaba en requerir aquel de quien tanto tiempo había sido requerida; pensaba también en la fama, que descubre todas las cosas; temía la inconstancia de los hombres y la ofensa del marido; y todos estos inconvenientes, como suelen, aprovecharon de vencerla más, y pasando por todos ellos, le rescibió dulcemente y le metió en su cámara, donde pasaron muy dulces palabras y en fin de ellas le dijo: «Señor Rodrigo de Narváez, yo soy vuestra de aquí adelante, sin que en mi poder quede cosa que no lo sea; y esto no lo agradezcáis a mí, que todas vuestras pasiones y diligencias falsas o verdaderas os aprovecharan poco comigo, mas agradesceldo a mi marido, que tales cosas me dijo de vos, que me han puesto en el estado en que ahora estoy.» Tras esto le contó cuanto con su marido había pasado, y al cabo le dijo: «Y cierto, señor, vos debéis a mi marido más que él a vos.» Pudieron tanto estas palabras con Rodrigo de Narváez, que le causaron confusión y arrepentimiento del mal que hacía a quien de él decía tantos bienes y apartándose afuera, dijo: «Por cierto, señora, yo os quiero mucho y os querré de aquí adelante, mas nunca Dios quiera que a hombre que tan aficionadamente ha hablado de mí, haga yo tan cruel daño. Antes, de hoy más, he de procurar la honra de vuestro marido como la mía propria, pues en ninguna cosa le puedo pagar mejor el bien que de mí dijo.» Y sin aguardar más, se volvió por donde había venido. La dama debió de quedar burlada; y cierto, señores, el caballero a mi parescer usó de gran virtud y valentía, pues venció su misma voluntad[56].

El Abencerraje y su dama quedaron admirados del cuento y alabándole mucho él dijo que nunca mayor virtud había visto de hombre. Ella respondió:

—Por Dios, señor, yo no quisiera servidor tan virtuoso, mas él debía estar poco enamorado, pues tan presto se salió afuera y pudo más con él la honra del marido que la hermosura de la mujer.

Y sobre esto dijo otras muy graciosas palabras[57].

Luego llegaron a la fortaleza y llamando a la puerta, fue abierta por las guardas, que ya tenían noticia de lo pasado. Y yendo un hombre corriendo a llamar al alcaide, le dijo:

—Señor, en el castillo está el moro que venciste, y trae consigo una gentil dama.

Al alcaide le dio el corazón[58] lo que podía ser y bajó abajo. El Abencerraje, tomando su esposa de la mano, se fue a él y le dijo:

---

[56] En la sentencia que el caminante desprende de lo que ha contado, resuena la doctrina senequista: «Vencer a sí mismo gran virtud es» dice una de las sentencias de las *Flores* de Séneca en la traducción de Juan Martín Cordero (Amberes, 1555, fol. 40). La sentencia fue muy común (véase mi estudio *Cuatro textos...*, 1957, pág. 191). J. Gimeno menciona esta cita de Séneca: «Quae sit ista [absoluta libertas]? [...] In se ipsum habere maxima potestatem. Inaestimabile bonum est, suum fieri» (Ep. LXXV, en 1972, pág. 17). Véase F. López Estrada, 1989.

[57] El comentario, ligero y desenfadado, de Jarifa, recuerda lo mismo que figura como colofón de la misma novela de *Il Pecorone*: «Finita la novella, cominciò Saturnina e disse cosí: "Moho m'è piacuta questa tua novelletta, considerata la fermezza ch'ebbe colui, avendo nelle braccia colei, cui elli avea cotanto tempo disiderata"», Ser Giovanni, *Il Pecorone*, Ravenna, Longo, 1974, ed. E. Espósito, Giornata I, Novella I, pág. 17. La mujer en este caso no comprende la virtud del caballero.

[58] *Dar el corazón*: «presentir algo». Dice Covarrubias: «... el alma, por lo que tiene de divino, suele barruntar los sucesos tristes o alegres [...]; y así decimos: Al corazón me daba...» *(Tesoro, s. v. corazón)*.

—Rodrigo de Narváez, mira si te cumplo bien mi palabra, pues te prometí de traer un preso y te trayo dos, que el uno basta para vencer otros muchos. Ves aquí mi señora; juzga si he padescido con justa causa. Rescíbenos por tuyos, que yo fío mi señora y mi honra de ti.

Rodrigo de Narváez holgó mucho de verlos y dijo a la dama:

—Yo no sé cuál de vosotros debe más al otro, mas yo debo mucho a los dos. Entrad y reposaréis en vuestra casa; y tenelda de aquí adelante por tal, pues lo es su dueño.

Y con esto se fueron a un aposento que les estaba aparejado, y de ahí a poco comieron, porque venían cansados del camino. Y el alcaide preguntó al Abencerraje:

—Señor, ¿qué tal venís de las heridas?

—Parésceme, señor, que con el camino las trayo enconadas y con algún dolor.

La hermosa Jarifa muy alterada dijo:

—¿Qué es esto, señor? ¿Heridas tenéis vos de que yo no sepa?

—Señora, quien escapó de las vuestras, en poco terná otras; verdad es que de las escaramuzas de la otra noche saqué dos pequeñas heridas, y el camino y no haberme curado me habrán hecho algún daño.

—Bien será —dijo el alcaide— que os acostéis y verná un zurujano que hay en el castillo.

Luego la hermosa Jarifa le comenzó a desnudar con grande alteración; y viniendo el maestro y viéndole, dijo que no era nada, y con un urgüento que le puso, le quitó el dolor y de ahí a tres días estuvo sano.

Un día acaesció que, acabando de comer, el Abencerraje dijo estas palabras:

—Rodrigo de Narváez, según eres discreto, en la manera de nuestra venida entenderás lo demás. Yo tengo esperanza que este negocio, que está tan dañado, se ha de remediar por tus manos. Esta dueña es la hermosa Jarifa, de quien te hube dicho es mi señora y mi esposa; no quiso quedar en

Coín de miedo de haber ofendido a su padre; todavía se teme de este caso. Bien sé que por tu virtud te ama el Rey, aunque eres cristiano; suplícote alcances de él que nos perdone su padre por haber hecho esto sin que él lo supiese, pues la fortuna lo trajo por este camino.

El alcaide les dijo:

—Consolaos, que yo os prometo de hacer en ello cuanto pudiere.

Y tomando tinta y papel escribió una carta al Rey, que decía así:

CARTA[59] DE RODRIGO DE NARVÁEZ, ALCAIDE DE ÁLORA, PARA EL REY DE GRANADA

Muy alto y muy poderoso
Rey de Granada:

Rodrigo de Narváez, alcaide de Álora, tu servidor, beso tus reales manos y digo así: que el Abencerraje Abindarráez el mozo, que nasció en Granada y se crió en Cártama en poder del alcaide de ella, se enamoró de la hermosa Jarifa, su hija. Después tú, por hacer merced al alcaide, le pasaste a Coín. Los enamorados por asegurarse se desposaron entre sí. Y llamado él por ausencia del padre, que contigo tienes, yendo a su fortaleza, yo le encontré en el camino, y en cierta escaramuza que con él tuve, en que se mostró muy valiente, le gané por mi prisionero. Y contándome su caso, apiadándome de él, le hice libre por dos días; él se fue a ver a su esposa, de suerte que en la

---

[59] Esta carta se encuentra en el texto de la *Diana* en forma muy semejante. Narváez narra en ella en estilo epistolar los sucesos precedentes en forma muy concisa y de una manera directa, como corresponde a su condición de capitán de la frontera, sin adornos retóricos. Salva así también la dificultad de dirigirse a un Rey que le es ajeno y aun contrario en el campo de las armas.

jornada perdió la libertad y ganó el amiga[60]. *Viendo ella que el Abencerraje volvía a mi prisión, se vino con él y así están ahora los dos en mi poder. Suplícote que no te ofenda el nombre de Abencerraje, que yo sé que este y su padre fueron sin culpa en la conjuración que contra tu real persona se hizo; y en testimonio de ello viven. Suplico a tu real alteza que el remedio de estos tristes se reparta entre ti y mí. Yo les perdonaré el rescate y les soltaré graciosamente; sólo harás tú que el padre de ella los perdone y resciba en su gracia. Y en esto cumplirás con tu grandeza y harás lo que de ella siempre esperé.*

Escripta la carta, despachó un escudero con ella, que llegado ante el rey se la dio; el cual, sabiendo cúya era, se holgó mucho, que a este solo cristiano amaba por su virtud y buenas maneras. Y como la leyó, volvió el rostro al alcaide de Coín, que allí estaba, y llamándole aparte le dijo:

—Lee esta carta que es del alcaide de Álora.

Y leyéndola rescibió grande alteración. El Rey le dijo:

—No te congojes, aunque tengas por qué; sábete que ninguna cosa me pedirá el alcaide de Álora, que yo no lo haga. Y así te mando que vayas luego a Álora y te veas con él y perdones tus hijos y los lleves a tu casa, que, en pago de este servicio, a ellos y a ti haré siempre merced.

El moro lo sintió en el alma, mas viendo que no podía pasar el mandamiento del Rey, volvió de buen continente y dijo que así lo haría, como su alteza lo mandaba.

---

[60] Narváez usa aquí el término *amiga,* en relación sobre todo con la lírica popular que lo mantiene aún en uso con un matiz arcaizante; así en el cantar «De los álamos...» en la estrofa «De los álamos de Sevilla / de ver a mi linda amiga...»; o en el del caballero que grita por llevarse a Fátima: «Quién vos había de llevar, ojalá»: «levaros e a Sevilla / teneros he por amiga». Obsérvese además el uso del artículo *el,* que representa un arcaísmo acorde con lo indicado. La derivación del artículo había sido *illa(m) > ela > la.* Si bien se impuso la forma general de *la,* la antigua forma *ela* como *el*[*a*] siguió usándose en el caso de algunas palabras que comenzaban por *a;* en la ortografía actual su uso requiere que la *a-* sea tónica para el uso de *el* con femenino.

Y luego se partió de Álora, donde ya sabían del escudero todo lo que había pasado y fue de todos rescebido con mucho regocijo y alegría. El Abencerraje y su hija parescieron ante él con harta vergüenza y le besaron las manos. Él los rescibió muy bien y les dijo:

—No se trate aquí de cosa pasada. Yo os perdono haberos casado sin mi voluntad, que en lo demás, vos, hija, escogistes mejor marido que yo os pudiera dar.

El alcaide todos aquellos días les hacía muchas fiestas; y una noche, acabando de cenar en un jardín, les dijo:

—Yo tengo en tanto haber sido parte para que este negocio haya venido a tan buen estado, que ninguna cosa me pudiera hacer más contento; y así digo que sola la honra de haberos tenido por mis prisioneros quiero por rescate de la prisión. De hoy más, vos, señor Abindarráez, sois libre de mí para hacer de vos lo que quisierdes.

Ellos le besaron las manos por la merced y bien que les hacía; y otro día por la mañana partieron de la fortaleza, acompañándolos el alcaide parte del camino.

Estando ya en Coín gozando sosegada y seguramente el bien que tanto habían deseado, el padre les dijo:

—Hijos, ahora que con mi voluntad sois señores de mi hacienda, es justo que mostréis el agradescimiento que a Rodrigo de Narváez se debe por la buena obra que os hizo[61], que no por haber usado con vosotros de tanta gentileza ha de perder su rescate, antes le meresce muy mayor. Yo os quiero dar seis mil doblas zaenes; enviádselas y tenel-

---

[61] El torneo de beneficios que aquí se establece se halla acorde con el espíritu senequista: uno de los grandes méritos de la Naturaleza es que la virtud se extienda sobre todos: «maximum hac habemus naturae meritum, quod virtus in omnium animos lumen suum permittit» *(De beneficiis,* IV, XVII, ed. de Didot, pág. 139). Los beneficios se dan y se reciben, y en este vaivén conviene ser el vencedor: «Illud utique unice tibi placet, velum magnifice dictum: Turpe est beneficiis vinci» *(idem,* V, II, pág. 206). Para más referencias, véase mi estudio *Cuatro textos...,* 1957, págs. 192-194.

de de aquí adelante por amigo, aunque las leyes sean diferentes[62].

Abindarráez le besó las manos, y tomándolas, con cuatro muy hermosos caballos y cuatro lanzas con los hierros y cuentos de oro, y otras cuatro dargas, las envió al alcaide de Álora y le escribió así:

CARTA[63] DEL ABENCERRAJE ABINDARRÁEZ AL ALCAIDE DE ÁLORA

Si piensas, Rodrigo de Narváez, que con darme libertad en tu castillo para venirme al mío, me dejaste libre, engañaste, que cuando libertaste mi cuerpo, prendiste mi corazón; las buenas obras, prisiones son de los nobles corazones. Y si tú por alcanzar honra y fama, acostumbras hacer bien a los que podrías destruir, yo, por parescer a aquéllos donde vengo y no degenerar de la alta sangre de los Abencerrajes, antes coger y meter en mis venas toda la que de ellos se vertió, estoy obligado a agradescerlo y servirlo. Rescibirás de ese breve presente la voluntad de quien le envía, que es muy grande, y de mi Jarifa, otra tan limpia y leal que me contento yo de ella[64].

---

[62] En el *Orlando furioso* de Ariosto podían los enemigos en determinadas circunstancias ir de acuerdo; así Rinaldo y un pagano convienen una tregua y salen en seguimiento de Angélica: «O gran bontà de' cavalieri antiqui! / Eran rivali, eran di fe' diversi [...] / ...insieme van, senza sospetto aversi» (Canto I, estrofa 22).

[63] Estas dos cartas finales aparecen sólo en el *Inventario,* 1565; más retóricas que la precedente, cumplen la función de mostrar a los dos héroes en la plenitud del beneficio: el moro, valiéndose una vez más de la oposición *libertad corporal-prendimiento de corazón;* y el cristiano, mostrándose como «capitán español», y por eso más generoso que el que se había mostrado así. El servicio de la mujer es la culminación de la cortesía que Jarifa dictamina para él como imbatible.

[64] Alabar al que lo merece es una de las recomendaciones de Séneca: «Merentem laudare, justitia est; ergo utriusque bonum est» (Epístola CII; véase J. Gimeno, 1972, págs. 20-22).

El alcaide tuvo en mucho la grandeza y curiosidad del presente y rescibiendo de él los caballos y lanzas y dargas, escribió a Jarifa así:

CARTA[65] DEL ALCAIDE DE ÁLORA A LA HERMOSA JARIFA

Hermosa Jarifa: No ha querido Abindarráez dejarme gozar del verdadero triumpho de su prisión, que consiste en perdonar y hacer bien; y como a mí en esta tierra nunca se me ofresció empresa tan generosa ni tan digna de capitán español, quisiera gozarla toda y labrar de ella una estatua para mi posteridad y descendencia[66]. Los caballos y armas rescibo yo para ayudarle a defender de sus enemigos. Y si en enviarme el oro se mostró caballero generoso, en rescebirlo yo paresciera cobdicioso mercader; yo os sirvo con ello en pago de la merced que me hecistes en serviros de mí en mi castillo. Y también, señora, yo no acostumbro robar damas, sino servirlas y honrarlas.

Y con esto les volvió a enviar las doblas. Jarifa las rescibió y dijo:

—Quien pensare vencer a Rodrigo de Narváez de armas y cortesía, pensará mal.

De esta manera quedaron los unos de los otros muy satisfechos y contentos y trabados con tan estrecha amistad, que les duró toda la vida.

---

[65] En este propósito de no dejarse vencer en los beneficios Narváez se empareja con Alejandro, según el juicio de Séneca: «Alexander Macedonum, rex gloriari solebat a nullo se beneficiis victum» *(De beneficiis,* V, VI, ed. de Didot, pág. 209).

[66] Narváez proyecta hacia el futuro su propia fama y la crea con las acciones del presente, de acuerdo con la doctrina de Séneca: «Gloria umbra virtutis est; ctiam invita comitabitur» (Epístola LXXIX); y el porvenir le espera así: «Multa annorum millia, multa popularum supervenient; ad illa gloria respice» *(ídem);* véase J. Gimeno, 1972, pág. 20.

Flor de romances,
escogida entre los de Abindarráez,
Jarifa y Rodrigo de Narváez

I

Rodrigo de Narváez guarda la frontera

En el tiempo que reinaba
el Infante don Fernando,
que del reino de Aragón
fue después Rey coronado,
en España residía   5
un caballero esforzado,
que Rodrigo de Narváez
fue de su nombre llamado,
que a todos los de su tiempo
en valor se ha aventajado;   10
y entre las cosas que hizo
adonde más le ha mostrado,
fue cuando ganó a Antequera
el Infante ya nombrado;
y ansi, de Alora y de ella   15
por alcaide le han dejado,
donde estuvo mucho tiempo
con algunos hijosdalgo,
muy valerosas empresas
contra moros acabando.   20
Pues como la ociosidad
nunca en ellos ha reinado,
saliéronse nueve juntos
una noche del verano,

del murmurar de los vientos   25
apacible convidados,
y de la luz de la luna
a la salida incitando,
por ver si tienen descuido
los de su bando contrario,   30
o si sale alguno de ellos
en la noche confiado [...]

Comienzo del romance: «En el tiempo
que reinaba...», núm. XVIII del *Romancero,*
de Pedro de Padilla, Madrid, F. Sánchez,
1583, fol. 117 y vuelto.

II

Cabalgata nocturna, bajo la luna, de Rodrigo de Narváez y los suyos

Al campo sale Narváez,
vasallo del Rey de España
y alcaide de Antequera,
con ilustre cabalgada;
todos a punto de guerra,   5
de gran nombradía y fama,
salen por topar los moros
haciendo alguna emboscada:
La media noche sería
y la tierra en silencio estaba.   10
Narváez se sube al otero,
de allí la luna miraba;
tan clara estaba y serena,
que de vella se admiraba.
La noche parece día,   15
según el cielo mostraba;

el camino por do iban
en dos caminos se aparta [...]

> «Otro romance de la batalla que Abin-
> darráez tuvo con Rodrigo de Narváez yendo
> una noche a ver a Jarifa.» Comienzo del ro-
> mance: «Al campo sale Narváez...», Lucas
> Rodríguez, en el *Romancero historiado,* Alca-
> lá de Henares, 1582, ed. de A. Rodríguez-
> Moñino, Madrid, Castalia, 1967, pág. 156.

III

ABINDARRÁEZ, VISTOSAMENTE ATAVIADO Y CON RICAS AR-
MAS, SALE POR LA NOCHE EN BUSCA DE JARIFA. LOS CABA-
LLEROS CRISTIANOS DE RODRIGO DE NARVÁEZ, AL ACE-
CHO, CONTEMPLAN ADMIRADOS LA BELLA ESTAMPA DEL
MORO CANTANDO LOS AMORES CON SU DAMA

[...] Métense en una arboleda
muy hermosa, que allí había.
Desde a poco rato vieron
venir con gran osadía
un valiente y gentil moro   5
de hermosa filosomía[1],
en un caballo ruano,
poderoso a maravilla,
amenazando los vientos
con la furia que traía;   10

---

[1] *filosomía.* Es voz culta, procedente del griego, que entró en la lengua española en el Renacimiento. Nebrija tiene «fisónomo» con el sentido de el que conoce la naturaleza y el modo de ser de una persona por su
fisonomía. En la misma forma que en este romance aparece en la *Celesti-
na;* y también se dijo «fisionomía», y en forma vulgar «fisolomía».

que la silla con el freno
eran de grande valía,
con muchas borlas de grana,
demostrando el[2] alegría
que llevaba el fuerte moro,   15
y en lo demás que traía:
las cabezadas, de plata,
labradas a la Turquía;
un caparazón bordado
de aljófar, que relucía,   20
y los estribos dorados,
aciones[3] de seda fina.
El moro venía vestido
con estrema galanía,
marlota[4] de carmesín,   25
muy llena de pedrería;
un albornoz de damasco
cortado de fantasía;
una fuerte cimitarra
a su costado ceñía;   30
el puño, de una esmeralda;
pomo, de piedra zafira;
la guarnición es de oro;
la vaina, de perlería.
Una adarga ante sus pechos,   35
de fuerte piel granadina,
a la morisca labrada;
una luna por divisa;
lleva el brazo arremangado   40
que muy fuerte parescía;

---

[2] Véase la nota 60 de la novela del *Abencerraje.*

[3] *ación,* correa del estribo (del árabe «siyûr», plural de 'correa').

[4] *marlota,* del árabe «mallûta», 'saya, hábito de monje' < derivado a su vez del griego μαλλωτή ('manto velloso'). Vestido de moro, a modo de sayo vaquero, según Covarrubias.

una lanza con dos hierros,
que veinte palmos tenía;
con aquel brazo herculeo
fuertemente la blandía.
Rica toca en su cabeza,   45
que tunecí se decía;
con las vueltas que le daba,
de armadura le servía,
con rapacejos colgando,
de oro de Alejandría.   50
Parecía el moro fuerte
un Héctor en valentía;
iba en todo tan lozano,
y tan lleno de alegría,
que con una voz graciosa   55
aqueste cantar decía:
—En Granada fui nacido
de una mora de valía,
y en Cartama fui criado
por triste ventura mía.   60
Tengo dentro de Coín
las cosas que más quería,
que es mi bien y mi señora,
la muy graciosa Jarifa.
Hora voy por su mandado,   65
do muy presto la vería,
si le placiere a Mahoma,
antes que amanezca el día.
    Con tanta gracia cantaba,
porque en todo la tenía,   70
que a un triste corazón
bastaba a dar alegría [...]

Romance que comienza: «El valiente
don Rodrigo...», de la *Rosa de Amores*. *Primera parte de Romances de Juan Timoneda,*

que tratan diversos y muchos casos de amores,
Valencia, 1573, ed. de A. Rodríguez-Moñino y D. Devoto, Valencia, 1963, fols. XXXV-XXXVI v[5].

IV

En este romance se trata de la desgracia en que cayeron los Abencerrajes como consecuencia de las habladurías propaladas por sus enemigos en la Corte de Granada, causa del destierro de Abindarráez, a la frontera, cuando era niño

> Caballeros granadinos,
> aunque moros, hijos dalgo,
> con envidiosos intentos
> al rey moro van hablando,
> viendo que los favorece   5
> todo el granadino estado,
> hombres, niños y mujeres,
> caballeros y villanos;
> dicen que los Bencerrajes,
> linaje noble, afamado,   10
> procuran dalle la muerte
> para gozar su reinado.

Romance formado por los versos de la glosa titulada «Glosa sobre el romance que

---

[5] El mismo romance con algunas variantes se encuentra, con el comienzo: «Por el ausencia de Febo...», en la *Historia de el enamorado moro Abindarráez,* compuesta por Juan Timoneda. Impresa en Valladolid por Alonso del Riego. (Este impresor trabaja de 1700 a 1763, según el *Catálogo de Obras Impresas en Valladolid,* de Mariano Alcocer y Martínez, Valladolid, 1926, pág. 17 y núm. 1881.)

dice: Caballeros granadinos», publicada por
Lucas Rodríguez, *Romancero historiado*, Al-
calá de Henares, 1582, ed. de A. Rodríguez-
Moñino citada, págs. 166-167[6].

V

OTRO ROMANCE SOBRE LA DESGRACIA DE LA FAMILIA DE LOS ABENCERRAJES

En las torres del Alhambra
sonaba gran vocería
y en la ciudad de Granada
grande llanto se hacía,
porque sin razón el Rey   5
hizo degollar un día
treinta y seis Abencerrajes
nobles y de gran valía,
a quien Cegrís y Gomeles
acusan de alevosía.   10
Granada los llora más,
con gran dolor que sentía,
que en perder tales varones
es mucho lo que perdía:
hombres, niños y mujeres   15

---

[6] Esta glosa se encuentra también en la *Flor de varios romances nuevos
y canciones,* por Pedro Moncayo, Huesca, 1589 (ed. de *Las Fuentes del
Romancero General,* I, 92 v.). Hita recoge un texto en relación con este, al
que añade un estribillo: «Gran traición se va ordenando»; dice de él que
«aunque antiguo, [es] bueno», y parece que era más extenso, pues añade
«y porque me aguardan otras cosas de más importancia, no se acaba»
(Guerras civiles de Granada, I, ed. cit., pág. 181). En Pérez de Hita hay
otro orden en los versos (1-2-3-4-9-10-11-12-6-7-8) y se añade otra estrofa: «Y a su reina tan querida /de traición la han acusado, / que en Albín
Abencerraje / tiene puesto su cuidado».

lloran tan grande perdida,
lloraban todas las damas,
cuantas en Granada había.
Por las calles y ventanas
mucho luto parecía;   20
no habia dama principal
que luto no se ponía
ni caballero ninguno
que de negro no vestía,
sino fueran los Gomeles,   25
do salió el alevosía;
y con ellos los Cegrís
que les tienen compañía.
Y si alguno luto lleva,
es por los que muerto habían   30
los Gazules y Alabeces,
por vengar la villanía,
en el cuarto de los Leones,
con gran valor y osadía.
Y si hallaran al rey   35
le privaran de la vida,
por consentir la maldad
que allí consentido había.

Ginés Pérez de Hita, *Guerras Civiles de Granada*, I, 1595, ed. de Paula Blanchard Demouge, Madrid, Bailly-Baillière, 1913, I, págs. 178-179[7].

---

[7] Este romance se encuentra inmediato al anterior, y parece todo él obra de Pérez de Hita; se hizo acaso teniendo en cuenta la novela por la reiteración de los lloros.

VI

EN ESTE ROMANCE SE TRATA DE LOS AMORES PRIMEROS DE
ABINDARRÁEZ Y JARIFA, Y LA SEPARACIÓN DE LOS ENAMO-
RADOS POR IRSE ELLA CON SU PADRE A OTRO LUGAR DE LA
FRONTERA

> Crióse el Abindarráez
> en Cartama, esa alcaldía,
> hasta que fue de quince años
> con la hermosa Jarifa.
> Padre llamaba al alcaide   5
> que él en guarda lo tenía,
> y Jarifa como hermana
> le regalaba y servía.
> Y solos por los jardines
> se andaban de noche y día,   10
> cogiendo de entre las flores
> la que mejor parecía.
> Si Abindarráez cantaba,
> Jarifa le respondía,
> y si acaso estaba triste,   15
> Jarifa se entristecía.
> Y estando una madrugada,
> ya que la aurora salía,
> sentados junto a una fuente
> que el agua dulce corría,   20
> Jarifa de Abindarráez
> muchas veces se retira,
> y aunque muestra rostro alegre,
> no burla como solía;
> antes de muy congojada   25
> en mirándole sospira,
> y el valiente Abindarráez
> mucha tristeza sentía.

Y con la voz amorosa
le pregunta qué tenía.   30
Jarifa como discreta
sospirando respondía:
—¡Ay, Abindarráez querido,
ay, alma del alma mía!
¡Cómo se nos va apartando   35
el contento y alegría!

Que a mi padre oí anoche,
fingiendo estar yo dormida,
que hermandad ni parentesco
entre nosotros no había;   40

y que de aquesta frontera
el rey, alcaide os hacía,
y que mi padre en Coín
quiere el rey que asista y viva;

y pues oí el desengaño   45
en que engañada vivía,
siendo mi gloria tan breve
¿cómo podré tener vida?

Y estando los dos amantes
en su triste despedida,   50
llega a Abindarráez un paje
a pedille las albricias.

«Romance de Abindarráez», Lucas Rodríguez, *Romancero historiado,* Alcalá de
Henares, 1582, ed. de A. Rodríguez-Moñino citada, págs. 155-156. (Véase el romance II.)

VIIa

ROMANCE DE LA CARTA DE AMOR QUE ESCRIBE EL ABEN-
CERRAJE A JARIFA INSTÁNDOLE A QUE LE MANDE LLAMAR

A ti, la hermosa Jarifa,
Abindarráez salud envía,
el cual sin ella y sin ti
esta carta te escribía.
Mil veces dejé la pluma   5
y dejada la tenía;
el esfuerzo me animaba,
el temor me combatía.
En esto el atrevimiento
que te escribiese, decía;   10
el temor, ya despedido,
el amor me dio osadía.
Lo que te escribo, señora,
corazón y vida mía,
es que te acuerdes de mí,   15
cual salí de gallardía
en la vega de Granadas[8]
vestido de tu divisa;
y lo que más te agradezco,

---

[8] Este romance puede servir como ejemplo de la confusión sobre el abencerraje Abindarráez. Se refiere a una situación de la novela, cuando el moro espera la llamada de Jarifa; entonces inventa el autor que le escriba una carta en la que le pide que él vaya, pero ya cuenta con la mención de Granada y de los discreteos de Jarifa y Fátima, que son propios de las versiones desviadas. Aunque la fecha de la versión del romance es tardía, Durán menciona una edición de la *Primera Parte del Jardin de Amadores...*, a nombre de Juan de la Puente, de Zaragoza, 1611, que ignoro si lo contiene ya (B. A. E., 16, II, pág. 689).

Jarifa, en cuanto podía,   20
de saber cuán bien celaste
con Fátima, tu querida,
nuestros secretos amores,
como discreta entendida.
Lo que al presente suplico   25
con amor y cortesía
es que cumplas tu palabra
como de ti se confía,
que es de enviarme a llamar;
di: ¿cuándo será este día?   30
Y si error hay en la carta,
culpe a quien lo merecía.
Al amor primeramente
porque me favorecía;
después al atrevimiento,   35
y a la mano que escribía.

Primera parte del Jardín de amadores...,
edición de Valencia, 1679, págs. 36-37.

VIIb

ROMANCE DE LA CARTA DE AMOR QUE ESCRIBE JARIFA A
ABINDARRÁEZ AVISÁNDOLE DE LA AUSENCIA DE SU PADRE,
PARA QUE VAYA A ENCONTRARSE CON ELLA

La pluma toma Jarifa,
y en un papel escribía
una carta [a] Abindarráez,
quien más que a sí le quería:
    «Bien sabes, Abindarráez,   5
que soy tu menor cautiva,
tu vasalla y servidora

hasta el fin de mi vida.
Bien sabes que con tu ausencia,
por ser tú mi compañía,   10
vivo la más triste mora
de toda la morería.
Con esperanzas de verte
tengo esperanza de vida.
Ha querido el gran Mahoma   15
dar hoy fin a mi porfía,
que mi padre es ido a Ronda,
a Ronda, aquesa villa,
diciendo que ha de volver
dentro de tercero día.   20
Luego, vista la presente,
te parte[s], por vida mía,
que la tierra está segura
y tu fuerza está rendida.»

La romanza spagnola in Italia, Turín,
G. Giappichelli, 1970, ed. de G. M. Bertini,
C. Acutis y P. L. Ávila, pág. 136, texto procedente de la Biblioteca Tribulziana de Milán, ms. 9949[9].

---

[9] Pertenece a la parte de Cesare Acutis, «Il *Romancero* in Italia nel
secolo XVI-XVIII». El ms. trae «Albindarráez», modernizado aquí, como
el resto del texto. Agradezco al profesor Giovanni Caravaggi el envío del
mismo.

187

VIII

El postrero Abencerraje
que Abindarráez se llamaba,
teniendo por el rey Chico
la alcaidía de Cartama,
ninguna noche duerme   5
ni de día sosegaba
viéndose tan apartado
del contento de su alma,
porque su amada Jarifa
allá en Coín, donde estaba,   10
témese que no le olvide,
siendo de otro festejada;
que aunque estaba bien fiado,
siempre teme su mudanza,
porque mudanza en mujer   15
es cosa muy ordinaria,
cuantimás que en larga ausencia
ninguna paciencia abasta.
Y con este pensamiento
grandes congojas pasaba,   20
mas todo es bien empleado.
Pues tan bien se le pasaba,
que estando el Abencerraje
asomado a una ventana,
mirando hacia aquella parte   25
donde su señora estaba,
que este era el mayor regalo
que para su mal hallaba,

diciendo: «¡Dichosa tierra,
pues que deseo alabada,   30
que tienes la flor del mundo,
y la más hermosa dama
de todas cuantas han sido
ni serán según su fama!»;
vio venir un escudero   35
que a gran priesa[10] caminaba,
con una carta en la mano,
y hacia él enderezaba.
El moro cuando le vido[11]
su corazón se alteraba,   40
porque no sabe quién fuese
ni para qué le buscaba,
y en llegando el escudero
de rodillas se hincaba,
y la carta que traía   45
en su mano se le daba;
y aunque no vio sobre escripto
no quiso preguntar nada,
mas en habiéndola abierto
la color se le mudaba,   50
porque vio en la cortesía
que era letra de su dama,
que a dar fin a sus amores
le envía a decir que vaya.

Obras de diversos..., ms. recopilado en 1582.

---

[10] La forma «priesa» es etimológica y su empleo llega hasta nuestros
días en el habla vulgar. La innovación «prisa», testimoniada desde Berceo,
tardó sin embargo en ser aceptada, y su triunfo se debió en parte al apoyo
de la Academia.

[11] *vido*, vio. Las formas «vide», «vido», de origen etimológico, persisten hasta nuestros días en el uso vulgar.

IX

LOPE DE VEGA CUENTA, POR MEDIO DE UN ROMANCE EN
BOCA DE ABINDARRÁEZ, CÓMO DON RODRIGO RINDIÓ AL
MORO CUANDO ESTE IBA CAMINO DE SUS BODAS

ABINDARRÁEZ A JARIFA

Llegó a Cartama Celindo
con tu carta cuando estaba
el sol inclinado al Sur,
pardo y triste, y no sin causa.
Leíla, beséla y dile   5
albricias de mi esperanza,
que se perdió en el ausencia
después de llena de canas.
Vestíme[12], hermosa señora,
colores, plumas y galas,   10
que un alegre pensamiento
con todas tres se declara.
Bajé a nuestra huerta antigua,
y despedíme en voz alta
de los árboles y flores,   15
de las fuentes y las aguas.
Diles mil abrazos tiernos,
y ellos también se inclinaban
a darme para ti muchos,
que aun tienen alma las plantas.   20

---

[12] Lope insiste en este punto en que la riqueza y el color de sus vestidos «colores, plumas y galas» son declaración de su alegre pensamiento al
marchar a las bodas.

Puse al estribo las mías[13]
sin el arzón, y a la casa
le dije volviendo el rostro:
—Piedras, Jarifa me aguarda.
　No sé si me respondieron,　　　　　　　　25
pero sentí que sonaban
por largo trecho las fuentes:
o era envidia o tu alabanza.
　Esta, por todo el camino,
jornada, aunque breve, larga,　　　　　　　30
iban alternando a veces
entre la lengua y el alma,
　cuando de unos robles verdes
entre pálidas retamas
oigo relinchos y voces,　　　　　　　　　35
y alzo la lanza y la adarga.
　Pero al punto estoy en medio
de cinco lanzas cristianas,
mas sin soberbia te digo
que eran pocas otras tantas;　　　　　　　40
　y quizá porque eran pocas,
trajo luego mi desgracia
otras tantas de refresco,
y una, la mejor de España:
　Este fue el alcaide fuerte,　　　　　　　45
si sabes su nombre y fama,
que es de Alora y Antequera,
y estaba puesto en celada.
　Apartó sus caballeros
desafióme a batalla　　　　　　　　　　　50
como caballero fuerte,
cuerpo a cuerpo en la campaña.

---

[13] Sus «plantas» de los pies; es un juego rápido de palabras de Lope, sobre la paronomasia de «planta» vegetal y «planta» de los pies.

Como era fuerza, acetéle[14],
y ansí[15] con la luna clara
comenzamos nuestra guerra   55
jugando las fuertes lanzas.
    Y pues al fin me venció.
No me alabo; decir basta
que tenía tres heridas
en brazo, muslo y espaldas.   60
    No me las dieron huyendo
pero quien con diez batalla,
también sospecho que tiene
en las espaldas la cara.
    Don Rodrigo de Narváez,   65
que así el alcaide se llama,
me prendió, y llevaba a Alora
de sus diez hombres en guarda,
    cuando, viendo mi tristeza,
si le contaba la causa,   70
me prometió dar remedio
y ansí fue justo contarla:
    Que hizo el cristiano conmigo
esta gentileza extraña,
con sólo mi juramento,   75
porque le di la palabra
    que dentro el día tercero
volvería a Alora sin falta
a ser su preso y cautivo.
Mira si es justo quebrarla.   80
    Y mira, mi bien, si debo
llorar mi suerte contraria,

---

[14] Es lo mismo que «acetéle».
[15] *así* tuvo diversas formas: «asín», «asina», «ansí» y «ansina» que son
variantes vulgares. Hoy persisten en leonés, hispanoamericano y judeo-
español, y como modalidad vulgar.

pues le he de llevar el cuerpo
de quien tú tienes el alma.

Lope de Vega, *El remedio en la desdicha,* en
la *Trezena parte de las Comedias...,* Madrid,
Viuda de Alonso Martín, 1620; según la ed.
cit. de F. López Estrada y M. T. López García-
Berdoy, 1991; acto III, págs. 173-175.

X

EL ABENCERRAJE CUENTA A DON RODRIGO, CAMINO DE
PRISIÓN, DESPUÉS DE LA DERROTA, SUS AMORES CON JARIFA;
EN ESTE FRAGMENTO DE ROMANCE LE REFIERE SU JUVEN-
TUD HASTA QUE SUPO QUE LA MORA NO ERA SU HERMANA

Cuando yo nascí, cuitado,
luego mi padre me envía
para que criado fuese
en Cartama aquesa villa.
Encargárame al Alcaide,   5
que mi padre lo tenía
por grande amigo, y lo era,
y en las obras parecía,
pues con una hija sola
me criaba y le servía.   10
Ella me llamaba hermano,
yo a ella hermana mía;
como hermanos muy amados
pasábamos nuestra vida.
El amor entre los dos   15
diferencia no hacía;
como su hermano me amaba,
yo por hermana tenía.

Tanto cresció en hermosura,
que par a ella no había.   20
Vila una vez en la fuente
que en nuestro jardín corría,
peinándose los cabellos
como oro de Alejandría.
A la hermosa Salmasis[16]   25
en belleza parescía.
Dije: —¡Oh, quién fuese Troco[17]
para estar cabe esta ninfa,
sin jamás quitarme de ella,
ni de noche ni de día!   30
Con su gracia y hermosura
corriendo a mí se venía,
y abrazándome me dijo:
—Ay, hermano de mi vida,
decidme, ¿dónde venís,   35
que yo buscado os había?
—Yo también a vos, hermana,
que sin vos no hay alegría.
Pero vos ¿cómo sabéis
que seáis hermana mía?   40
—Yo no más del grande amor
que como hermano os tenía,
y ver también que mi padre
como sus hijos nos cría.
Otras mil cosas pasamos   45
que el amor nos insistía.
Y como el tiempo descubre
las cosas, yo supe un día

---

[16] Su forma culta es «Sálmacis»; de esta ninfa se trató en la nota 29 de la novela del *Abencerraje*.
[17] Véase la nota 29 de la novela sobre Troco.

como no era mi hermana,
y holguéme en demasía [...]   50

Romance que comienza: «El valiente
don Rodrigo...», de la *Rosa de amores,* de
Juan Timoneda, Valencia, 1573, ed. cit.,
fols. XLI-XLII. (Véase el núm. VI.)

XI

OTRO ROMANCE DE LOPE DE VEGA EN FORMA DE CANCIÓN
QUE ENTONAN LOS MÚSICOS Y JARIFA Y ABINDARRÁEZ SO-
BRE LAS DICHAS Y PENAS DE LOS TIEMPOS EN QUE VIVÍAN
JUNTOS EN CÁRTAMA

Canten: Crióse el Abindarráez
              en Cartama con Jarifa,
              mozo ilustre, Abencerraje
              en méritos y desdichas.
JARIFA: *¡Dichosa el alma mía,*   5
              que dio tan dulce fin a su porfía!
Canten: Pensaban que eran hermanos;
              en este engaño vivían,
              y ansí dentro de las almas
              el fuego encubierto ardía.   10
JARIFA: *¡Dichosa el alma mía,*
              que dio tan dulce fin a su porfía!
Canten: Pero llegó el desengaño
              con el curso de los días,
              y ansí el amor halló luego   15
              las almas apercebidas.
ABIN.:   *¡Triste del alma mía,*
              que dio tan triste fin a su porfía!
Canten: Quisiéronse tiernamente
              hasta que, llegado el día   20

en que pudieron gozarse,
dieron sus penas envidia.

ABIN.:   *¡Triste del alma mía,*
que dio tan triste fin a su porfía!

> Lope de Vega, *El remedio en la desdi-*
> *cha,* en la *Trezena Parte de las Comedias...,*
> Madrid, Viuda de Alonso Martín, 1620,
> según la cit. ed. de F. López Estrada y
> M. T. López García-Berdoy, 1991; acto III,
> págs. 169-170.

XIIa

FRAGMENTO DEL ACTO II, ESCENA V, DE LA «DOROTEA»,
DE LOPE DE VEGA, EN EL QUE ELLA CANTA EL ROMANCE DE
ABINDARRÁEZ Y JARIFA, CON LA LIBERTAD DEL MORO PARA
QUE PUEDA IRSE A CELEBRAR LAS BODAS, Y SU PRESENTA-
CIÓN ANTE JARIFA

BELA.—Hermosa Dorotea, desde que entré aquí, puse
los ojos en aquel harpa; de vuestras muchas gracias me dicen que es una la voz y la destreza. No os tengáis por deser-
vida de que os suplique me favorezcáis con dos versos de lo
que vos tuviéredes más gusto.

DOROTEA.—Sólo no tengo de música el escusarme, porque me falte todo. Dame aquella harpa, Celia. [...]

DOR.—Perdonad el afinarla, que es notable el gobierno
de esta república de cuerdas.

BEL.—Las dos órdenes[18] hacen más fáciles los bemoles.

---

[18] El arpa de dos órdenes representó un adelanto sobre la cromática de
uno, pues reunió en dos líneas más cercanas las cuerdas, y permitió matizar mejor los tonos. Véase la nota técnica de la ed. de E. S. Morby de *La*
Dorotea, Valencia, Castalia, 1958, pág. 74.

DOR.—Debéis de saber música.
BEL.—Afición la¹⁹ tengo.

DOR.—   Cautivo el Abindarráez
    del alcaide de Antequera,
    suspiraba en la prisión.
    ¡Cuán dulcemente se queja!
      Don Rodrigo le pregunta   5
    la causa de su tristeza,
    porque el valor de los hombres
    en las desdichas se muestra.
      ¡Ay! —dice el Abencerraje—
    Valiente Narváez, si fueran   10
    mis suspiros mi prisión
    vuestra vitoria mis quejas,
      agraviara mi fortuna,
    pues me dan menos nobleza
    que ser vuestro esclavo, alcaide,   15
    ser Bencerraje y Vanegas.
      Hoy cumplo veinte y dos años;
    esos mismos ha que reina
    una mora en mis sentidos
    por alma que los gobierna.   20
      Nació conmigo Jarifa;
    bien debéis de conocerla,
    porque tiene igual fama
    vuestra espada y su belleza.
      Mal dije veinte y dos años,   25
    pues cuando estaba en su idea,

---

¹⁹ Si se interpreta 'tengo afición a la música', la forma etimológica del pronombre sería *le tengo afición,* y el uso de «la» entonces es un laísmo o uso de «la» (dativo) por «le» refiriéndose a nombres femeninos. Puede pensarse también que fue *afición, la tengo,* o sea, un sintagma en el que el orden impulsivo ha llevado a situar «afición» en primer lugar, y entonces el pronombre «la» es la inmediata referencia de «afición».

a quererla antes de ser
me enseñó naturaleza.

    Ni por estrellas la quise,
que fuera del cielo ofensa,   30
si para amar su hermosura
fueran menester estrellas.

Bel.—Excelentes ocho versos. ¿Cúyo es este romance?
Dor.—De un caballero que está agora en Sevilla.
Bel.—¿Cómo se llama?
Dor.—Oíd lo que queda:

    El criarnos como hermanos
hizo imposible mi pena,
desesperó mi esperanza   35
y entretuvo mi paciencia.

    Declaróse nuestro engaño
en una pequeña ausencia,
si bien la de sola un hora
era en mis ojos eterna.   40

    Por cartas nos concertamos
que fuese esta noche a verla;
salí galán para bodas,
que no fuerte para guerras.

    Cuando llegaste, Rodrigo,   45
iba cantando una letra
que compuse a mi ventura,
que a mis desdichas pudiera.

    Resistíme cuanto pude,
mas no valen resistencias   50
para contrarias fortunas.
Preso yo, Jarifa espera.

    ¡Qué bien dicen que hay peligro
desde la mano a la lengua!
Pensé dormir en sus brazos   55
y estoy preso en Antequera.

Oyendo el piadoso alcaide
su historia amorosa y tierna,
para volver a Jarifa
liberal le dio licencia.   60
    Llegó el moro, y el suceso
después del alba le cuenta,
que no son historias largas
antes de los brazos, buenas.

BEL.—Dichoso moro, que aún hasta agora lo es en cantar sus dichas esa voz celestial. [...]
BEL.—El romance de Abindarráez me habéis de hacer
merced de darme, que quiero ver vuestra letra.
DOR.—Yo haré lo que me mandáis, y os serviré con vol-
verle a cantar; por ventura no os parecerá tan bien.
BEL.—[...] ¡Oh, moro más dichoso por celebralle vuestra boca que por la liberalidad del alcaide en dejarle volver
a su Jarifa! Sutil anduvo el poeta en decir que antes de nacer
la quiso Abindarráez en la ideal fantasía de la naturaleza.
DOR.—Los poetas son hombres despeñados; toda su
tienda es de imposibles. [...]

> Lope de Vega, *La Dorotea. Acción en pro-
> sa...*, Madrid, 1632, fols. 79-81v y 84v-85.

XIIb

OTRO ROMANCE QUE CUENTA EL MISMO EPISODIO DE LA LIBERTAD DEL MORO

Mal herido Abindarráez
se sale de una batalla,
y preso, que es lo peor;
y lo que más estimaba,
no por verse de un cristiano   5

sobrado lanza por lanza,
mas por no poder cumplir
a Jarifa su palabra.
Solo va en medio de todos
los que el alcalde llevaba,   10
muy triste y muy pensativo,
y la cabeza abajada.
Suspira de rato en rato,
y entre sí él se quejaba:
—¿Hasta cuándo, di, fortuna,   15
has de estar conmigo airada?
Acaba ya, si quisieres;
mira que no ganas nada,
que no es honra en cuerpo muerto,
como dicen, dar lanzada.   20
Jarifa, señora mía,
mal nos fue en esta batalla,
pues tú pierdes tu cautivo,
yo mi gloria deseada.
No esperes, porque si esperas   25
estarás desesperada,
esperando a quien no espera,
que se acabó su esperanza.
¡Ay de mí, triste cautivo,
ay, que el alma se me arranca!   30
Diciendo esto dio un suspiro,
y los ojos se alimpiaba.
El alcaide, que es discreto,
y la noche hacía clara,
iba notando del moro   35
la tristeza que llevaba,
y apartándole a una parte,
supo de él toda la causa;
y al punto le dio licencia
con que le diese palabra   40
de volver a su prisión,

esta ventura acabada;
y el moro se fue contento
adonde Jarifa estaba.

De la misma procedencia que el romance VIIb.

XIII

En el curso de la novela de los amores de Geminandro y Laura, un personaje canta el romance de la soledad de Jarifa mientras espera a su enamorado; sigue otro en el que se canta el gozo del encuentro entre los enamorados moros; y otro más sobre la vuelta de Abindarráez y Jarifa al castillo de Rodrigo de Narváez

[...] y después de ya el suntuoso y rico banquete acabado, pidió Laura a Pinela tocase el instrumento y cantase alguna historia de cristiano o moro. A quien Pinela respondió diciendo que de cristiano no tenía cosa al presente de gusto, pero que sí tenía de moro enamorado, cuya historia, aunque antigua, la tenía sacada a lo nuevo; así, viniendo en ello Geminandro, y templando el instrumento, comenzó a requebrar la soledad de Jarifa en suave canto:

Triste, pensativa y sola
está la bella Jarifa,
temerosa de perder
al Bencerraje, su vida.
Debajo está de un jazmín,   5
en un jardín retraída,
de celos y pensamientos
el alma y fe combatida.

        Siente que el plazo se pasa
y teme que se retira   10
el Abindarráez de verla
por mudanza o por desdicha.
        Aflígela su sospecha
y el esperar la fatiga,
porque el firme amor, si espera,   15
siente cualquier niñería.
        Con la memoria y los ojos
un solo camino mira,
y por corazón y boca
al Abindarráez suspira.   20
        Teme la lanza cristiana
que don Fernando tenía
en el castillo de Alora[20],
por el Narváez regida.
        Y con estas tristes olas   25
la llama de amor batida,
respirando por la boca
resuelve en llanto estas liras:
        Si de la cruda ausencia,
le nasce al alma desastrada suerte,   30
no espere otra sentencia
el que espera la muerte
padesciendo este trago duro y fuerte.
        Ausencia tiene el alma
rendida al celo sospechoso y duro,   35
el pensamiento en calma;
y el amor firme y puro,
si pasa mal de ausencia, no es seguro.
        ¡Ay, dulce Abindarráez,
si extraño amor y ausencia te han mudado,   40
o el cristiano Narváez

---

[20] Obsérvese que la medida pide la pronunciación *Alóra*.

te tiene aprisionado,
no pierdas de Jarifa tu cuidado!

　　Cesó porque el moro vino
herido de dos heridas: 45
el fiel cuerpo, de Narváez,
y el corazón, de Jarifa.

Fue el discantar de Pinela tan gustoso a Geminandro y Laura que a mucha instancia le pidieron proseguiese si tenía acabada la historia por conoscer el gozo de presencia en los amantes, que ausencia fue tan penosa. Así proseguiendo Pinela, mudó el tono en la cítara y dijo:

XIVa

　　Holgando está con Jarifa
el Abindarráez gallardo,
y contemplando en la gloria
que meresció su cuidado.
　　«Mi alma y mi bien», le dice;   5
ella: «mi ser y regalo»;
él la llama: «mi señora»;
ella: «mi señor y amado».
　　Que cuando es amor de tempre[21],
es con los suyos tan franco,   10
que con placeres de un día,
paga pesares de un año.
　　Pero como viene herido,
y cautivo de un cristiano,
no sabe si lo descubra   15
o si lo tenga callado.

---

[21] *tempre*, 'temple'. La forma es la etimológica (< temperare), y se usó hasta los Siglos de Oro; el moderno «templar» es una disimilación.

Al «sí» le fuerza el se ver
de su palabra obligado,
mas el dar pena en Jarifa,
al «no» le está convidando.   20
    Pero descúbrelo el rostro,
que ya le tiene turbado,
porque están juntos en él
amor y fe batallando.
    Habla en Jarifa su celo   25
y pide el por qué celado
vive, suspenso y cuidoso[22],
triste, presente y mudado.
    Rompen silencio en el moro
amor, temor y mandado,   30
y responde con suspiro
refiriendo el qué del caso:

    «*A*jeno[23] de imaginar
insistiera mi contrario,
en resistir mi penar   35
a talle de batallar,
partí anoche solitario.
    Intención sólo guiaba
a ver tu dulce presencia
pero fortuna que agrava   40
me ofreció batalla brava
cristiana, mas con clemencia.
    *De A*lora ciertos guerreros
con Rodrigo de Narváez

---

[22] *cuidoso*, 'pensativo'. *Cuidar* significó en la Edad Media 'pensar, juzgar', hasta que en el siglo XVI pasó al sentido actual.
[23] Obsérvese que a partir del verso 33, en que comienza la parte de la composición en quintillas, algunas letras del primer verso de cada una de éstos forman un acróstico en el que se lee: A INTENCIÓN DE LA SEÑORA DOÑA LEONOR DE ARTYAGA.

en granadinos ligeros   45
salieron [a] Abindarráez,
armados de caballeros.
    La sobrevista mirando,
vieron en mí que era moro,
y cinco que eran de bando   50
me acometieron volando
agraviando su decoro.
    *Señal*áronse en rencuentro
con la fuerza de su lança,
pero no hicieron mudanza   55
en el corazón, que dentro
gozaba de tu esperanza.
    Ora la suerte quisiese,
ora su corta ventura,
o el sitio de la espesura,   60
no hubo alguno que me hiriese,
ni falsease la armadura.
    *Dobl*óseles fuerza en verme
en la cruel liga metido,
y pretendiendo prenderme,   65
vieron tan bien defenderme
que temieron su partido.
    *Nasci*óles de este temor
corazón para llamar
al alcaide, su tutor,   70
de cuya fuerza y valor
te puedes asegurar.
    León se mostró en la guerra
hasta que me vio rendido,
pero rendido y en tierra,   75
fue tan noble y comedido,
que su término me atierra.
    *Org*ulloso y de guerrero
por armas quiso rendirme,
pero como caballero   80

sabiendo mi amor tan vero,
dio licencia de partirme.

*Dé*jele palabra y fe
de volver a su prisión,
cumplida tu petición.   85
Esto, pues, es el por qué,
Jarifa, de mi pasión.

*Ar*to[24] siento en despedirme,
Jarifa, de tu presencia,
no por el temor de ausencia,   90
pues mal podrán ya rendirme
su mudanza y empaciencia.

Y cuanto quiera llegar
a destrozar mi constancia,
no hallarán tiempo y lugar;   95
para sólo imaginar
sacará de mí ganancia.

*Ága*lo posible en ello,
que aunque en hacer se deshaga
no podrá dejar la llaga   100
que tiene en el alma sello
de pagar lo que te paga.»

Cuando Jarifa entendió
el por qué del triste caso,
y conosció ser cautivo   105
el Bencerraje su amado,
determina de partirse
a cumplir con él el plazo,
por no se quedar sin alma
con su ausencia y sin su amparo.   110

---

[24] *arto,* 'harto' según la ortografía moderna. Se ha dejado así para que
se aprecie mejor el acróstico, y lo mismo *Aga* (verso 98).

—Ha sido, hermana Pinela —dijo Silabia—, tan grata a mi gusto la letra y el concierto de tu música, que si competidores y premios hubiera, a mi juicio merescieras la corona.

—Bien es verdad —dijo Laura—, pero parésceme que ha favorescido en la letra menos a Jarifa, no siendo ella en amar al moro menos aventajada.

—Harto a mi juicio —dijo Geminandro— ha dicho de ella, señora, y si gustáis, pues no tiene competidor que la contradiga, prosiga la historia que a mi parescer lo más gracioso resta.

Y viniendo en ello Laura, templando a talle la cítara, prosiguió Pinela la historia en diversas tonadas de esta manera (prosigue en el romance XV):

[XIVb]

Holgándose está con Jarifa
el Abindarráez gallardo,
y contemplando la gloria
que mereció su cuidado.
«Mi alma y mi bien», le decía;   5
ella: «Mi rey y regalo»;
él: «Mi contento y señora»;
ella: «Mi señor y amado».
       Que el amor, si está de temple,
es con los suyos tan franco,   10
que por el placer de una hora
quita pesares de un año.
       Mas como él viene herido
y cautivo de un cristiano,
de la villa de Antequera,   15
alcaide del rey don Sancho,
       no pudo con el dolor
llevar su contento al cabo;

mas, con sobrada ocasión,
un triste suspiro ha dado.   20

Cancionero classense (1589), fol. 51 v, Biblioteca Classense de Ravenna; texto modernizado procedente de la reseña de Antonio Restori al vol. IX de las *Obras* de Lope
de Vega, Madrid, Real Academia Española,
1900; publicada en *Zeitschrift für Romanische Philologie,* 30 (1906), pág. 219.

Según indico en el prólogo, intercalo aquí
esta otra pieza, paralela a la anterior, que prosigue en el romance siguiente. Es un error la
mención de «don Sancho» (v. 16).

XV

Armas verdes y cautivo,
preso de amor sin batalla,
rendido el pecho a Jarifa
el Bencerraje cabalga.
No le dejan partir solo   5
los amores de quien ama,
porque ella gusta de ir presa
donde lleva presa el alma.
Parten los dos mano a mano
a cumplir la fe y palabra   10
que Abindarráez dio a Rodrigo
de volver preso a su casa.
Pasando por el jaral
adonde fue la batalla,
dice con un ¡ay! el moro   15
que del corazón arranca:
—Dulce Jarifa, aquí fue
donde tu amante perdió

la victoria que ganó
cuando te vendió su fe,   20
y tu cautivo quedó.
   Aquí cayó Abindarráez
queriendo la suerte dura,
y ofresció en esta espesura
a Rodrigo de Narváez   25
tiempo, lugar y ventura.
   Visto el sentimiento que hace,
tuerce Jarifa la habla
por restaurar el dolor
que le renueva la llaga.   30
   Y con alegre semblante
mueven cuestión delicada
del hacer comedimiento
a don Rodrigo en su casa.
   —Porque la gente cristiana   35
no nos condene en lenguaje,
quiero saber, Bencerraje,
qué salva[25] será más llana
para tan llano hospedaje.
   Pues donde hay vencimiento   40
es como esclavo el vencido,
si el vencedor es servido,
y este duro tratamiento
muchos hay que le han tenido.
   No le puede dar respuesta   45
porque acabó la palabra
a la vista del castillo
donde don Rodrigo aguarda.

---

[25] *salva*. Quiere decir 'saludo', procedente de la fórmula «Dios vos
salve», de donde «salvar» 'saludar'.

En lo último iba Pinela de su gustoso canto cuando por un camino que algo encima la fuente caía, sintieron venir agramente[26] llorando una dama...

> *Descripción de las armas de la cassa de Arteaga y Leyba... en Vermeo,* por Salinas, ms., fols. 93-96v. (Descripción del ms. en *Inventario General de Manuscritos de la Biblioteca Nacional,* II, Madrid, 1956, págs. 104-105, núm. 608.)

XVI

ROMANCE CON LAS QUEJAS DE LA ESPERA DE JARIFA Y LA LLEGADA DEL ABENCERRAJE

Cercada de mil sospechas
la hermosa Jarifa estaba,
temiendo que Abindarráez
le faltase la palabra,
porque ve pasar la noche   5
y que a Coín no llegaba.
Con la congoja que siente
muchas veces sospiraba,
y sus ojos hechos fuentes
estas palabras hablaba: 10
    —¿Dónde estáis, Abindarráez?
¡Qué es de ti, bien de mi alma!
¿Por qué has querido engañarme,

---

[26] *agramente.* La forma «agro», «agra» ('agrio') fue la usual hasta el siglo XVII y, por tanto, de ella procede el adverbio derivado, en ese caso con el sentido de 'agudamente' en forma penetrante.

sabiendo que soy tu esclava?
Si no pensabas venir,   15
respondiérades a la carta,
y no hacerme esperar
para estar desesperada,
que aunque quiera no lo estar
no es tan larga la jornada,   20
que pueda pensar que en ella
gastaras noche tan larga.
Mas si acaso la fortuna
me quiso ser tan contraria,
que te encontrasen cristianos   25
para vencerte en batalla,
ruego [a] Alá que esto no sea,
antes que quede burlada
que, por no verte cautivo,
daré por rescate el alma.   30
Tanto lloraba Jarifa
que las piedras ablandaba,
pero vínole el remedio
cuando más penada estaba,
porque lo oyó, que en el jardín,   35
que sonaba un cuento de lanza,
y bajó corriendo [a] abrille
de placer alborotada;
y con la gran turbación
casi abrille no acertaba,   40
mas después que le hubo abierto,
un recio abrazo le daba.
Con el brazo echado al hombro,
al castillo lo llevaba,
adonde le hizo señor   45
de su hermosura y gracia.

Obras de diversos..., ms. recopilado en 1582,
fols. 20-22v.

XVIIa

El gallardo Abindarráez
aunque más ha peleado,
[quedó en poder del alcaide],
cautivo y enamorado.

Púsose tan triste el moro,   5
de su esperanza burlado,
que muestra estar juntamente
cautivo y enamorado.

Consolándolo el alcaide,
tristes cosas le ha contado,   10
diciendo que no es él sólo
cautivo y enamorado.

Hízole grandes zalemas
por la nobleza que ha usado
con un prisionero suyo,   15
cautivo y enamorado.

Al fin se partió a Coín
y en el castillo ha llamado,
y al decir: «¿Quién es?» Responde:
«Cautivo y enamorado.»   20

Jarifa le abrió las puertas,
cerrándolas al cuidado,
porque no se nombre más
cautivo y enamorado.

Y en tal dichosa ocasión   25
azar le ha salido el dado[27],

---

[27] *Azar* es la cara desfavorable del dado, suerte contraria en el juego;
véase José Luis Alonso Hernández, *Léxico del marginalismo del Siglo de
Oro,* Salamanca, Universidad, 1977, pág. 81.

por venir el moro herido
cautivo y enamorado.

Y con sobresalto triste
celosa le ha preguntado   30
por qué contento no estaba
cautivo y enamorado,

diciéndole: «Dulce esposo,
si eres de otra amado
¿primero no fuiste mío,   35
cautivo y enamorado?

Y si libre te has vendido,
habiéndote yo pagado
¿perderá quien te compró,
cautivo y enamorado?»   40

No puede encubrir el moro
lo que de él ha sospechado
la mora que le traía
cautivo y enamorado.

Contóle todo el suceso,   45
y de su cuello colgado,
tiene a gran ventura ser
cautivo y enamorado.

Cancionero classense (1589) de la Biblioteca Classense de Ravenna, fol. 50r; texto
modernizado procedente de la reseña de
Antonio Restori al vol. IX de las *Obras*
de Lope de Vega, Madrid, Real Academia Española, 1900, citada en el romance XIVb.
El verso 3 falta y se suple por el correspondiente de la versión b.

XVIIb

El gallardo Abencerraje,
aunque más ha peleado,
quedó en poder del alcaide,
cautivo y enamorado.
    Suspiros y valentías   5
en suspiros han quedado,
y es porque está juntamente
cautivo y enamorado.
    Consolábale el alcaide;
casos tristes le ha contado   10
diciendo que no es él solo
cautivo y enamorado.
    Desque supo sus amores,
franca libertad le ha dado
porque es lástima de verle   15
cautivo y enamorado.
    Por la posta va a Coín
y en el castillo ha llamado,
y al decir: —¿Quién es?, responde:
—*Un cautivo enamorado.*   20
    Jarifa le abrió las puertas,
cerrándolas al cuidado,
porque no se nombre más
cautivo y enamorado.

Texto procedente de *Spanische Roman-
zen auf fliegenden Blättern aus dem Ende
des 16. Jahrhunderts,* colección de pliegos
sueltos que publica Christian Fass («Beigabe

zum Jahresbericht»), pág. 21, romance VII, 7 (entre 1587 y 1586), Biblioteca de la Universidad de Göttingen.

XVIII

ROMANCE QUE CUENTA LA INQUIETUD DE JARIFA EN LA ESPERA DEL ABENCERRAJE, EL GOZO QUE SINTIÓ CON SU LLEGADA, LAS BODAS Y LA VUELTA AL CASTILLO DE NARVÁEZ

> Ya llegaba Abindarráez
> a vista de la muralla
> donde la hermosa Jarifa
> retirada le esperaba
> sin un punto de sosiego   5
> diciendo: «¡Cómo se tarda
> mi contento, que no viene!
> ¿Si le goza allá otra dama?
> Mas, ay, triste, que no temo
> que de olvido sea la causa;   10
> temo, cuitada el peligro
> que, viniendo de Cartama,
> se le ofrezca algo en Alora
> con los cristianos de guarda,
> que corren de noche el campo   15
> todos juntos en escuadra,
> donde no le basten fuerzas
> ni jugar lanza y adarga.
> Mas si esto [le] sucediese
> ¡para qué quiero yo el alma!   20
> Ni es posible que yo viva,
> ni podrá vivir quien ama
> viendo a su querido muerto
> por su culpa en la batalla.»
> Con estas y otras congojas   25

de llorar no descansaba,
y otras veces de tristeza
de su estado se arrojaba,
y otras veces se ponía
de pechos en la ventana,   30
y de almena en almena
el campo en torno miraba.
No le da miedo estar sola,
ni las sombras la espantaban,
ni los noturnos bramidos   35
que suenan en la montaña,
que lo más priva a lo menos;
de lo más se recelaba.
Por su amigo gime y llora,
que de sí no se da nada.   40
Y con esto dio un suspiro,
quitóse de la ventana,
cuando vio que su fiel dueña,
alegre y regocijada,
le dice que Abindarráez   45
con el cuento de la lanza
dio tres golpes a la puerta,
que es la seña concertada,
y que ya arrendó el caballo
y aun sube ya por la escala.   50
¡Oh cuán gallardo y bien puesto
le está pintado su dama...!,
cuando ya el valiente moro
estaba dentro en la sala:
Aljuba[28] rica vestida   55
con alamares[29] de plata;

---

[28] *aljuba* (del árabe *«ǵúbba»*), 'gabán de mangas cortas y estrechas,
usado por los moros'.
[29] *alamares* (quizá del árabe «amâra»), 'la guarnición del traje'.

altas plumas en la toca[30];
colgando de la medalla,
el pomo del rico alfange
es un águila dorada,   60
cuyo pomo está entallado
en riquísima esmeralda.
De esta suerte se entra el moro
sin poder hablar palabra,
que el contento que da amor   65
no es contento si se habla;
hasta que ya, poco a poco,
va cobrando fuerza el alma,
con la cual satisfación
los dos amantes se abrazan,   70
y aquella noche celebran
la boda tan deseada.
Así se volvieron juntos
para Alora en la mañana
con riquísimo presente,   75
cual de tales se esperaba.
El alcaide los recibe
y sin precio los rescata,
teniendo por justo precio
el cumplille la palabra   80
tan cumplidamente el moro,
pues iba con él su dama[31].

---

[30] *toca*. Aunque el término se usaba para designar 'el velo de la cabeza de la mujer', Covarrubias dice que también se usaba en algunas partes de España (vizcaínos y montañeses) y los moros 'encima los bonetillos'.
[31] El mismo romance se halla en el *Romancero General* (1600), ed. citada, I, núm. 785, pág. 529, con algunas variantes, las más importantes de las cuales son las siguientes:
v. 3: donde la bella Jarifa; 21: imposible es que yo viva; 24: por su causa en la batalla; 36: que suenan en las montañas; 39: por su amado gime y llora; 40: de sí no se le da nada; 41: y dando en esto un suspiro; 43: entra luego su leal dueña; 44: que alegre y regocijada; 49: que en ella

Flor de varios romances nuevos, Tercera parte, recopilada por Felipe Mey, Valencia, 1593, ed. de A. Rodríguez-Moñino, Madrid, 1957, fols. 157v-159[32].

XIX

PARTE DE UN ROMANCE EN QUE SE CUENTA LA GRATITUD DE LA PAREJA MORA HACIA SU LIBERADOR RODRIGO DE NARVÁEZ Y LOS REGALOS QUE LE ENVIARON EN MUESTRA DE AGRADECIMIENTO

> [...] y acabando de comer,
> Rodrigo de Narváez les habla:
> «Estimo en mucho haber sido
> parte que aquesto se haga,
> y así de los dos no quiero   5
> por vuestro rescate nada,
> pues me basta la honra
> de haber tenido en mi casa
> tan honrados prisioneros;
> y si el partir os agrada,   10
> vos, Abindarráez, sois libre,
> que yo os alzo la palabra.»
> El moro se lo agradece
> y otro día en la mañana
> para Coín se partieron,   15

---

arrendó el caballo; 50: y ya sube por la escala; 52: falta en el *Romancero;* 58: prendidas en la medalla; 63: de aquesta suerte entra el moro; 73: también se partieron juntos; 75: con un tan rico presente; 76: cual de los dos se esperaba. Entre los versos 77-78 el *Romancero* trae estos otros dos: usando de su largueza / y virtud acostumbrada.

[32] Un romance semejante, falto de los versos 49-52, se encuentra en la *Flor de varios romances.* Novena parte. Madrid, 1597, ed. de A. Rodríguez-Moñino, Madrid, 1957, fols. 128v-130.

que es muy pequeña jornada.
Y el alcaide de Coín
con Abindarráez trataba
de que aquella buena obra
a Narváez fuese pagada;   20
y ansí, para aquel efecto
cuatro mil doblas[33] le daba.
El moro se las envía,
y con ellas enviaba
seis caballos muy hermosos   25
enjaezados de grana,
y seis lanzas cuyos hierros
y recatones labraran
de oro fino, y juntamente
seis adargas muy preciadas;   30
y la hermosa Jarifa
con ropa blanca estremada,
una caja de ciprés
y una carta regalada.
El Alcaide lo recibe,   35
y los caballos y lanzas
repartió entre los hidalgos
que aquella noche llevaba,
para si tomando uno,
el que más le contentaba,   40
y la caja de ciprés
que Jarifa le enviaba;
y de las cuatro mil doblas
nunca quiso tomar nada,

---

[33] Esta terminación de la aventura del abencerraje se ajusta al texto de
la *Diana*, donde se mencionan las mismas cifras y objetos. En las versiones de la *Corónica* y la *Chrónica,* con las mismas cifras y sin la caja, además sigue el cambio de regalos entre Narváez y los moros, y a su vez
Abindarráez y los suyos obsequian a los emisarios (véase mi estudio sobre
El «Abencerraje» de Toledo, 1561, pág. 38).

adonde mostró muy bien   45
que al valor acompañaba
discreción y cortesía,
y que nada le faltaba,
porque donde hay estas cosas,
jamás puede faltar nada.   50

      Trozo final del romance que comienza
«El desastrado succeso...», núm. XXII del
Romancero, de Pedro de Padilla, ed. cit.,
fols. 128-129. (Véase el núm. I.)

XX

ABINDARRÁEZ Y JARIFA CONVERTIDOS EN CORTESANOS DEL REY CHICO DE GRANADA

      Abindarráez y Muza
y el rey Chico de Granada,
gallardos entran vestidos
para bailar una zambra.
Un lunes a media noche   5
fue de los tres concertada,
porque los tres son cautivos
de Jarifa, Zaida y Zara.
El descomponerse el rey,
(cosa entre reyes no usada,   10
y darle Muza su ayuda,
poco galán sin las armas,
que es hombre que noche y día
tiene ceñida la espada,
y para dormir se arrima   15
en un pedazo de lanza),
halo causado un desdén
que tiene en los ojos Zaida,

y amores de un Bencerraje
que adora a los suyos Zara.   20
Abindarráez es mozo
y siempre de amores trata:
Fátima muere por él
y a Jarifa rinde el alma.
Al fin ordena la fiesta   25
la desorden que amor causa,
que el más cuerdo hará más loco
celo y gusto de su dama.
Para cumplir con la gente
echaron fama en Granada   30
que ha venido cierta nueva
que Antequera era ganada[34].
Es la fiesta por agosto
y entra el rey, toda bordada
una marlota amarilla[35]   35
de copos de nieve y plata
con una letra que dice:
«Sobre mí fuego no basta.»
Gallardo le sigue Muza,
de azul viste cuerpo y alma,   40
labradas en campo de oro
unas pequeñas mordazas,
cuya empresa de ellas dice:
«Acabaré de acaballas.»
Abindarráez se viste   45
el color de su esperanza,

---

[34] Es un disparate histórico que en tiempos del rey Chico de Granada, que se sublevó contra Mohammed VIII en 1427, se hable de la toma
de Antequera que había ocurrido en 1410. Es un caso más de la resonancia de otro romance, el de la toma de Antequera en esta ocasión relacionado vagamente con Narváez.
[35] Los colores de los moros se corresponden con los comunes de los
caballeros: amarillo es el de la desconfianza; azul, el de los celos; verde, el
de la esperanza; y después, el negro, el del luto o desolación.

unas yedras sobrepuestas
con unas rocas doradas,
un cielo sobre los hombros
con unas nubes bordadas, 50
y en las yedras esta letra:
«Más verde cuanto más alta.»
Sacaron a las tres moras
que eran la flor de la sala,
eran el adorno de ella 55
y lo mejor de sus armas.
Abindarráez, brioso,
con una vuelta gallarda,
pisó a Fátima en el pie
y a su Jarifa en el alma. 60
La mano le suelta al moro
y así le dice, turbada:
—¿Para qué entraste encubierta,
traidor, la engañosa cara?
Arroja el fingido rostro 65
que el propio tuyo te basta,
pues le conocen todos
por mi daño y su venganza.
Con mil caricias el moro
la blanca mano demanda. 70
Ella replica: —No quieras
mano en la tuya agraviada;
baste que Fátima diga
en conversación de damas
que estimas en más su pie 75
que mi mano desdichada.
Abindarráez, turbado,
sale huyendo del Alhambra.
Si de verde salió el moro,
de negro salió a la sala. 80
Entre tanto el rey y Muza
estaban con Zaida y Zara,

cansados de tantas vueltas
y son de amor las mudanzas.
Como estaban disfrazados,   85
recostáronse en sus faldas;
cuando hablan, enmudecen,
y cuando están mudos, hablan.
También se cansaron ellas,
que el cuerpo muerto no cansa   90
como el vivo aborrecido
que quiere forzar el alma.
Levantóse un alboroto,
que la reina se desmaya;
la fiesta se acabó en celos,   95
que amor sin ellos no acaba.

Romancero General, 1600, Madrid, C.S.I.C.,
1947, ed. de Ángel González Palencia, I,
núm. 62, págs. 49-50; atribuido a Lope.

XXI

ROMANCE DEL ABENCERRAJE TRIUNFANTE, PERO LEJOS DE JARIFA

[Jarifa] y Abindarráez,
los dos extremos del Reino,
ella en extremo hermosa,
y él valiente en todo extremo,
    Abencerraje de fama,   5
del rey de Granada deudo,
capitán de Alora cuando
dorara su rostro el vello;
    aquel que con los peligros
daba descanso a su pecho   10

mostrando en él y en los ojos,
de un amante y amor tierno,
    en que por su fe y su rey
ha mostrado en poco tiempo
que lo que en la edad faltaba   15
sobraba en valor y esfuerzo;
    y en las cortes de Almería,
las últimas que se hicieron,
hizo gran servicio al rey
guardando al reino sus fueros,   20
    tanto que los alfaquíes
decretaron en consejo
que se le hiciese estatua
por reparador del reino.
    Y de esto y de su valor   25
estando el rey satisfecho,
por gratificarle en algo
parte de lo que había hecho,
    le ha nombrado por alcaide
de aquel belicoso suelo   30
donde [bebe] el mar de España
las aguas de Tajo y Duero.
    Aquí estaba Abindarráez
ocupado en su gobierno,
presente de sus cuidados   35
y ausente de sus contentos,
    cuando la ausente Jarifa
que no lo está en sus duelos,
sino presente a su pena,
y de su gloria el destierro,   40
    hablando con un retrato,
que se sacó de su pecho,
donde está más natural
que puede en tabla o lienzo,
    después de decir callando   45
mil amorosos conceptos,

que más que una lengua libre
habla a veces el silencio:
—Dulce amiga de mis ojos,
vida de mi pensamiento,   50
no verte como solía
me es otro nuevo tormento.

> *Flor de varios romances nuevos,* Tercera
> parte, recopilada por Felipe Mey, Valencia,
> 1593, ed. de A. Rodríguez-Moñino, Ma-
> drid, 1957, fols. 166v y 177v[36].

XXII

Romance de los celos de Jarifa

Fragmento del capítulo noveno: «En que se pone unas solemnes fiestas y juego de sortija que se hizo en Granada, y cómo los bandos de los Cegríes y Abencerrajes se iban más encendiendo.»

...El día de San Juan venido, fiesta que todas las naciones del mundo celebran, todos los caballeros de Granada se pusieron galanes, así los que eran de juego como los que no lo eran, salvo que los del juego se señalaban en las libreas; y todos se salieron a la ribera del muy fresco Genil... Era ver las cuatro cuadrillas de estos caballeros un espectáculo bravo y de grande admiración; todos corrían por la vega, de

---

[36] Esta versión y otra del *Romancero General* (I, núm. 169, pág. 117) comienzan el romance con el verso: «Fátima y Abindarráez...». Este comienzo es posible si se tiene en cuenta la asociación que se estableció entre Fátima, en algunos romances enamorada de Abindarráez, y Jarifa, pero me parece mejor cambiar «Fátima» por «Jarifa» en consonancia con la mención del v. 37. Alguna variante del *Romancero General,* v. 47: que más que una lengua o libro.

dos en dos, de cuatro en cuatro. Y al salir del sol parecían tan bien, que era cosa de mirar. Y entonces se comenzó el juego, porque ya en aquella hora se podía muy bien ver de las torres del Alhambra. El mismo rey andaba entre ellos muy ricamente vestido, porque no hubiese algún alboroto o escándalo. La reina y todas sus damas miraban de las torres del Alhambra el juego, el cual andaba muy bien concertado y gallardamente jugado... El gallardo Abindarráez se señaló bravamente aqueste día; mirábalo su dama, que estaba con la reina en las torres del Alhambra. La reina le dijo: «Jarifa, bravo y gallardo es tu caballero.» Jarifa calló, parándose colorada como rosa. Fátima, no menos, tenía los ojos puestos en su Abenámar, pareciéndole tan bien, que estaba de él y de sus cosas muy pagada, aunque Jarifa entendía que miraba a su Abindarráez... Por este día de San Juan, y por este juego de cañas que habemos contado, se dijo aquel antiguo romance que dicen:

> La mañana de San Juan,
> al punto que alboreaba,
> gran fiesta hacen los moros
> por la vega de Granada.
> Revolviendo sus caballos,   5
> jugando van de las lanzas
> ricos pendones en ellas
> labrados por sus amadas.
> Ricas aljubas vestidas,
> de oro y seda labradas;   10
> el moro que amores tiene
> allí bien se señalaba.
> Y el moro que no los tiene,
> por tenerlos trabajaba;
> míranlos las damas moras   15
> de las torres del Alhambra.
> Entre las cuales había
> dos de amor muy lastimadas:

la una llaman Jarifa,
la otra Fátima se llama.   20
    Solían ser muy amigas,
aunque agora no se hablan.
Jarifa, llena de celos,
a Fátima le hablaba:
    «¡Ay, Fátima, hermana mía,   25
cómo estás de amor tocada;
solías tener color,
veo que agora te falta;
solías tratar amores,
agora estás decallada[37],   30
pero si los quieres ver,
asómate a esa ventana,
y verás a Abindarráez
y su gentileza y gala!»
Fátima, como discreta,   35
de esta manera le habla:
«No estoy tocada de amores
ni en mi vida los tratara;
si se perdió mi color,
tengo de ello justa causa   40
por la muerte de mi padre
que el Malique Alabez[38] matara;

---

[37] *decallada*. Por 'callada', un uso probablemente vulgar, con el prefijo *de-*, que no tuvo fortuna.
[38] *Malique Alabez*. Este Malique Alabez fue un noble moro, de la familia de los Alabeces, una de las más estimadas de Granada (según Pérez de Hita en la misma obra, cap. III, pág. 24 de la mencionada edición). Estos Alabeces presumían de descendencia del Rey Almohabez, señor del reino de Cuco, y de parientes de los Malucos (*ídem*, cap. V, pág. 40). Esta familia era una de las que atizaban los odios en que se debatía la política de bandos que padecía el reino de Granada, y en una ocasión de estas Malique mató a Mahomad Cegrí, padre de la Fátima nombrada (*ídem*, cap. VI, pág. 61). Poco antes del trozo de esta antología, Malique había entrado en batalla con don Manuel Ponce de León, que lo había malherido.

y si amores ya quisiera,
está, hermana, confiada
que allí veo caballeros   45
en aquella vega llana,
de quien pudiera servirme
y de ellos ser muy amada,
de tanto valor y esfuerzo
como [a] Abindarráez alabas.»   50
Con esto las damas moras
pusieron fin a su habla.

Ginés Pérez de Hita, *Guerras civiles de Granada,* Zaragoza, 1959, ed. de Paula Blanchard-
Demouge, I, Madrid, 1913, págs. 76-80.

XXIII

ROMANCE DE LOS CELOS DEL ABENCERRAJE POR JARIFA, CON UN ELOGIO DE LA BELLEZA DE LA DAMA MORA

En la ciudad granadina,
en lo mejor de su plaza,
que es la acera venturosa
por Medoro celebrada,
y la que pinta su pluma   5
de varias flores y plantas;
do vive una dama mora,
flor de la flor de las damas,
la cual se llama Jarifa
de la Torre y de la Alhambra.   10
A esta sirve un Bencerraje
que le dio asiento en el alma,
al cual le dan guerra celos,
aunque disimula y calla;

en el turbante y divisa: 15
que jamás muestra mudanza;
y a un paje de quien se fía
no suyo, mas de su dama,
acordó de preguntalle
si con su Jarifa habla   20
un Cegrí[39] que se pasea
por delante sus ventanas.
Y el paje, que es secretario[40],
de presto le desengaña
diciéndole que el Cegrí   25
sirve a otra mora gallarda,
a quien se humilla el amor
como a su madre sagrada.
Y con esto el Bencerraje
aplacó su ardiente llama,   30
pero no mitigó el fuego
que su corazón le abrasa,
que, quedando satisfecho,
más el vivo amor le inflama;
y del paje se despide,   35
y va contento a su casa.
Y tiene razón el moro
porque la mora que ama
puede hacer competencia
con Venus, Juno y Diana,   40

---

[39] *Cegrí* o *Zegrí*. Familia granadina, enemiga de los abencerrajes. Recuérdese que el título completo de la obra de Pérez de Hita es *Historia de los bandos de los Cegríes y Abencerrajes, caballeros moros de Granada; de las civiles guerras que hubo en ella...* Esto hizo que fuese común la asociación entre los nombres de ambas familias para representar estas luchas políticas de los moros.

[40] Esto es, que sabe los secretos de su dama.

que es tanta su discreción
y su hermosura rara,
que las musas del Parnaso
tienen envidia a su fama.
Y, si hace escura noche,   45
revoltosa y temeraria,
con sólo ella abrir sus ojos
la hace apacible y clara;
y del sol los claros rayos
los revoca y los contrasta,   50
porque no es el sol más de uno,
y son dos los de su cara,
cuya clarífica[41] luz
alumbra a toda Granada;
y a dicho de todo el mundo   55
es la hechura más alta,
que ha hecho el pincel sutil
de naturaleza sabia;
y es un retrato divino
que por él Dios nos declara   60
las divinas hermosuras
de su corte soberana.

Romancero General, ed. cit., I, núm. 132,
págs. 96-97.

---

[41] *clarífica.* Cultismo, adjetivo procedente de «clarificar», derivado de
«claro».

XXIVa

ROMANCE EN EL QUE BOABDIL, EL REY CHICO DE GRANADA,
SUSPIRA EN SU PRISIÓN POR UNA MORA PRESA EN ANTEQUERA

> Por Antequera suspira
> el rey Chico de Granada,
> porque tiene dentro en ella
> las cosas que más amaba.
> Suspiros da sin consuelo,　　　　　5
> que el alma se le arrancaba.
> No suspira él por su tierra,
> que en otra mejor estaba;
> suspira por una mora,
> la flor de toda Granada.　　　　　10
> Llorando de los sus ojos
> de esta manera hablaba:
> —¡Oh, alma del alma mía!
> ¿di si estás aprisionada?
> Yo sería en tu rescate　　　　　15
> en dar por ti a Granada;
> y si esto no bastare,
> daré toda el Alpujarra.

Según el texto, modernizado, de la transcripción de Paciencia Ontañón de Lope del manuscrito de la Biblioteca de la *Hispanic Society of America, Poesías del siglo XVI*. La editora indica que una versión con variantes se halla en Joaquín Romero Cepeda, *Obras* (Sevilla, Andrés Pescioni, 1582, fol. 59r), y da las variantes: el nombre de ella es *Vindaraja* y el lugar que daría por el rescate *Almería*. *(Nueva Revista de Filología Hispánica,* 15, 1961, pág. 191.)

ROMANCE EN QUE SE CUENTA LA PENA QUE SENTÍA EL REY
CHICO DE GRANADA, CUANDO ESTABA PRESO EN BAENA,
POR LA AUSENCIA DE SU AMADA, Y LA LIBERTAD QUE LE DIO
EL REY FERNANDO

> Sobre el muro de Baena,
> puesta la mano en la barba,
> recostado en él de pechos,
> el rey Chico[42] lamentaba;
> a quien en prisión estrecha   5
> con valor puso el de Cabra,
> junto al pedregoso arroyo
> en la sangrienta batalla
> do tomó nueve banderas
> que trae por orla en sus armas   10
> y una cadena que a un rey
> la cerviz opresa abraza.
> No su prisión siente el rey,
> mas el carecer de Guara,
> de las granadinas moras,   15
> la más hermosa y gallarda.
> No admite el rey compañía,
> que su cuidado le basta,

---

[42] Se refiere al hecho histórico de la batalla de Lucena, en que Boabdil fue derrotado y hecho prisionero por Diego Fernández de Córdoba,
conde de Cabra (23 de abril de 1483). El conde trató al moro con respe-
to, y llevado ante los Reyes Católicos en Córdoba se concertó el pacto
llamado con el nombre de esta ciudad, en que el Rey obtuvo la libertad,
declarándose vasallo de los Reyes y concertando un acuerdo con ellos. El
motivo político, implícito en el caso histórico (crear rivalidades dinásti-
cas en Granada) se cambia por el deseo de Boabdil de ver a su amada, y
entonces se crea el paralelo con Abindarráez en relación con Narváez.

con ese sólo se entiende
y se siente rica la alma;   20
en ningún lugar sosiega,
propiedad de quien bien ama.
Cuando la molesta ausencia
le esconde la cosa amada,
una sola le da alivio,   25
si alguna a dársela basta,
y es el arrojar la mira
al camino de Granada,
cuya vista el hado esquivo
porque más sienta la ataja,   30
impidiéndole de tierra
la dilatada distancia.
De la fortuna se queja
que con tal rigor le trata,
poniendo en cielo sereno   35
de nubes oscura capa;
y en mar sosegado y quieto
tan repentina borrasca:
no hay cosa que le consuele:
la gloria considerada,   40
largo tiempo poseída,
en un instante quitada.
No disimula su pena
que para callarse es mala,
haciendo testigo de ella   45
a las aves y a las plantas.
Pues como fue conocida
del noble Conde la causa
de su pasión fervorosa
de que el rostro muestras daba,   50
y viendo que de salud
el mal le necesitaba,
una visita le hizo
demás de las ordinarias,

con el sombrero en la mano   55
y reverencia acatada,
diciendo: «Muestre tu alteza
ya de hoy más alegre cara,
que el rey Fernando te da
libertad por esta carta,   60
y para su efecto ordena
que luego a Córdoba partas,
y que te acompañe yo
y la gente de tu casa,
sin más recato ni apremio   65
que sólo tu real palabra;
y que a reinar como de antes
en visitándole vayas.»
Por tan grata nueva el rey
con sumo placer le abraza   70
diciendo: «Más que el prenderme
el libertarme te ensalza.»

Gabriel Lasso de la Vega, *Manojuelo de romances,* Zaragoza, 1601, ed. de J. Mele y A. González Palencia, Madrid, 1942, pág. 227.

XXV

ROMANCE EN EL QUE SE CUENTA EL DESASTRADO FIN DE LOS MOROS HAMETE Y TARTAGONA, OCURRIDO AL PIE DE LA PEÑA DE LOS ENAMORADOS CUANDO SE DIRIGÍAN EN BUSCA DE RODRIGO DE NARVÁEZ

Bajaba el gallardo Hamete
a las ancas de una yegua
a la bella Tartagona,
hija del fuerte Zulema,

alcaide que en Archidona[43]   5
el alto castillo y fuerza
sustentó treinta y tres años
sin género de flaqueza.
De noche bajaba el moro
por una escusada senda,   10
por que la noturna guarda
al descender no le sienta,
y en allegando a lo llano,
lozano pica la yegua;
volviendo el rostro a la mora   15
en el carrillo la besa
y la dice: —Diosa mía,
tuyo soy; mándame y veda,
que en Granada mil favores
tengo del Rey y la Reina,   20
y de mi prosapia ilustre
soy el mejor que hay en ella.
Narváez, buen caballero,
alcaide fue en Antequera,
y lo que hizo con Jarifa,   25
cuando fue su prisionera,
también lo hará conmigo
cuando su voluntad sea.
Pero, al fin, al virtuoso,
respetarle es honra nuestra.   30
Vuelve las riendas el moro
a do le guía su estrella,
y al pie de una alta roca[44],
rodeada de mil yedras,

---

[43] Archidona se encuentra a unos veinte kilómetros de Antequera en el camino de Granada; por tanto, las dos fortalezas de uno y otro lugar quedaron fronterizas después que los cristianos tomaron la primera.
[44] Es la Peña de los Enamorados, que se halla a mitad del camino.

quiere que la yegua pazca[45]   35
y el amor tienda sus velas.
En esto vido venir
una famosa caterva
de famosos salteadores,
que pasaban de sesenta.   40
Todos le acometen juntos,
como canes a la cierva,
por quitar la vida al moro
y el honor a la doncella.
En pie se pone y levanta,   45
y entre todos hace rueda.
¡Cuán bien jugaba una punta!
¡Cuánta pierna o brazo cercena!
¡Oh, cuán bien que dilataba
el moro su muerte fiera!   50
Mas una piedra sin ruido
se le escondió en la cabeza,
quitando el aliento al cuerpo
y al brazo la fortaleza.
De que la dama se vido   55
en poder de gente ajena,
no hay dolor que llegue al suyo,
pena que llegue a su pena.
Cabellos que al sol dorado
no le hacen diferencia,   60
ya no precia el oro fino
que al blanco cuello rodea[46].
Cogió la espada del muerto,
que la hallara entre unas yerbas;

---

[45] El llano entre Archidona y Antequera sólo se encuentra interrumpido por la Peña de los Enamorados; los amantes se creen ya seguros, camino del castillo de Narváez y hacen un alto en su camino.

[46] J. Fernández Montesinos anota: «Es muy de notar el descuido sintáctico de algunos pasajes» *(Los Romancerillos tardíos,* ob. cit., pág. 131, nota 1).

cogiérala por la punta, 65
de pechos se echó sobre ella.
Juntó el cuerpo con su amante,
la cara con una piedra,
que son los enamorados
de la vega de Antequera, 70
dejando mucho renombre
de otra segunda Lucrecia.
Quien no lo quisiere creer,
váyase a Ronda[47] la vieja,
que allí lo hallarán escrito 75
en lo alto de una peña.

Romancero vario de diversos autores, Zaragoza, Pedro Lanaja, 1640, págs. 287-290.

XXVI a y b

ROMANCES LÍRICOS QUE ESTÁN DESTINADOS A SER INTER-
PRETADOS EN UNA ZAMBRA DE LA COMEDIA «EL PRIMER
FAJARDO» DE LOPE DE VEGA

LEARIMO

Bien podéis ya, si os agrada,
danzar, cantar o tañer.

[Dancen y canten esta zambra entre cuatro]
a)

Durmïendo está Jarifa
entre las flores de un prado,

---

[47] La mención de Ronda no tiene sentido; se trata de una asociación
más de los topónimos de la geografía romanceril que reaparece en este
romance tardío; resulta más bien un despropósito para cerrar de una
manera burlesca lo que se tenía como asunto muy conocido.

donde la Naturaleza   5
bordó una cama de campo.
    Bajó de un árbol Amor,
que sabe y anda en los ramos,
y mirándola en la boca,
quísola medir los labios.   10

    Y llegando quedito, pasito,
besóla callando y fuese volando.

ALCINDO

¡Buena zambra!

LEARIMO

            Es el cantar
y la destreza extremada.

ALCINDO

Poco debe de agradar   15
al novio y la desposada.

LEARIMO

Oíd, que vuelve a danzar.

        [Canten y dancen]
            b)

    Si una rosa en un jardín,
si una azucena en un cuadro,
se está arrojando a los ojos,   20
porque le corten las manos,

¿qué mucho que Amor, vencido
del clavel que está mirando,
en la boca de Jarifa
haga lo que hicieron tantos?   25

Y llegando quedito, pasito,
besóla callando y fuese volando.

Lope de Vega, *El primer Fajardo* (Parte
séptima de las Comedias, 1617), según la
ed. *Obras, XXII,* Madrid, Atlas, 1968 (Biblioteca de Autores Españoles), pág. 199.

XXVII

ROMANCE SOBRE LA LIBERTAD QUE UN ESPAÑOL EN ORÁN DIO A UN MORO ENAMORADO[48]

Entre los sueltos caballos
de los vencidos Cenetes[49]

---

[48] Romance de Luis de Góngora. Poseemos de él dos versiones: la correspondiente al manuscrito Chacón (1585) y la que aparece en las *Obras en verso
del Homero español,* preparadas por Juan López de Vicuña (1627). En realidad
el texto es el mismo pues corre paralelo, con algunas ligeras variantes, en el
manuscrito Chacón, hasta el verso 72; después la edición Vicuña prosigue
completando la anécdota de forma que se corresponde con el episodio inicial
del *Abencerraje.* Sobre la relación entre ambas versiones, véase Albert E. Sloman, «The two Versions of Góngora's *Entre los sueltos caballos*», *Revista de Filología Española,* 44 (1961), págs. 435-441. Aunque a Sloman le parezca sólo
auténtica la parte que trae el manuscrito Chacón, y la otra de dudoso origen,
doy esta última porque se atiene mejor al argumento desarrollado en el *Abencerraje.* El mismo romance aparece glosado en la comedia *El español de Orán*
[1665] del autor sefardí de Amsterdam Miguel de Barrios (Bogotá, El Dorado, s. a.), acto III, vv. 3366-3431. Esto indica que un romance de esta especie
también pertenecía al ámbito de la literatura sefardí del siglo XVII.

[49] *Cenetes.* De la tribu berberisca de Ceneta, una de las principales y
más antiguas del África árabe del Norte.

que por el campo buscaban
entre la sangre lo verde,
　　aquel[50] español de Orán[51]　　　　5
un caballo suelto prende,
por los relinchos, gallardo,
y por las cernejas[52], fuerte,
　　para que lo lleve a él,
y a un moro cautivo lleve,　　　　　10
que es uno que ha cautivado,
capitán de cien jinetes.
　　En el ligero caballo
suben ambos, y él parece
de cuatro espuelas herido,　　　　　15
que cuatro vientos lo mueven.
　　Triste camina el alarbe,
y lo más bajo que puede
ardientes suspiros lanza
y amargas lágrimas vierte.　　　　　20
　　Admirado el español
de ver, cada vez que vuelve,
que tan tiernamente llora
quien tan crudamente hiere,

---

[50] Por el indicativo *aquel* se ha querido relacionar este romance con el que comienza: «Servía[50] en Orán al rey...» (véase Robert Jammes, *Études sur l'oeuvre poétique de Don Luis de Góngora y Argote,* Burdeos, Institut d'Etudes Ibériques... Université, 1967, págs. 377-381). No me parece, con todo, que hayan llegado a formar una unidad formal, y por otra parte la relación entre este romance de «Servía en Orán al rey...» con el cuento de la honra del marido en la versión de Villegas, me parece muy lejana. La interpretación de que este *aquel* haya sido un retoque posterior es plausible, y la relación no parece que vaya más allá de que la acción se sitúa en Orán y que son Cenetes los protagonistas.

[51] Orán pasó a manos de los españoles por voluntad de Cisneros. Él mismo asistió a la toma (1509), que llevó a cabo un ejército embarcado en una flota, al mando del militar conde Pedro Navarro.

[52] *cernejas,* 'mechón de pelo que tienen las caballerías en la parte baja de las patas'.

con razones le pregunta   25
comedidas y corteses
de sus suspiros la causa,
si la causa lo consiente.
    El cautivo, como tal,
le responde y obedece,   30
y a su demanda piadosa
satisface de esta suerte:
    —Valiente eres, capitán,
y cortés sobre valiente;
por tu espada y por tu trato   35
me has cautivado dos veces.
    Preguntado me has la causa
de mis suspiros ardientes,
y débote la respuesta
por quien soy y por quien eres.   40
    En los Gelves[53] nací el año
que os perdistes en los Gelves,
de una berberisca noble
y de un turco matasiete[54].
    En Tremecén me crié   45
con mi madre y sus parientes,
después que perdí a mi padre,
cosario[55] de tres bajeles.
    Junto a mi casa vivía,
porque más cerca muriese,   50

---

[53] Una derrota en la isla de los Gelbes (o Gerbes) ocurrió al año siguiente de la toma de Orán cuando los moros deshicieron una expedición española al mando de Pedro Navarro y de don García de Toledo. Otro hecho más cercano a Góngora se relata en una de las *Relaciones Históricas,* Madrid, 1889, referente a la derrota de 1560, por Diego del Castillo.

[54] *matasiete:* parece que hubo una acepción en que esta palabra significó 'hablando de moros, el caballero', aunque lo más común sea el sentido de 'valentón, fanfarrón'. (Véase José Luis Alonso Hernández, *Léxico del marginalismo del Siglo de Oro,* ed. cit., s. v. *matasiete.*)

[55] *cosario,* 'corsario' (< *cursus,* 'acción de correr'), el que recorría en sus piraterías los mares. Era forma común y procede de la asimilación *rs > s.*

una mora del linaje
de los nobles Melioneses[56],
    extremo de las hermosas,
cuando no de las crueles,
hija al fin de estas arenas,   55
engendradoras de sierpes.
    Cada vez que la miraba,
salía el sol por su frente,
de tantos rayos vestido
cuantos cabellos contiene.   60
    Niños nos criamos juntos,
y amor en nuestras niñeces
hirió nuestros corazones
con harpones diferentes.
    Labró oro en mis entrañas,   65
dulces lazos, blandas redes,
mientras el plomo en las suyas
[libertades][57] y desdenes.
    Apenas vide trocada
la dureza de esta sierpe,   70
cuando tú me cautivaste:
mira si es bien que lamente.
    Esta es la causa, español,
que a llanto pudo moverme.
Mira si es justo que llore   75
tantos males juntamente.
    Conmovido el capitán
de las lágrimas que vierte,
parando el veloz caballo,
paren sus males promete.   80

---

[56] *Melioneses,* moros nobles que tenían su solar en un valle, entre
Orán y Tremecén, llamado de Meliona; se decía que procedían de los
árabes que salieron de España, razón de más en su nobleza.
[57] Prefiero la versión del manuscrito Chacón, en vez de la que trae el
texto de Vicuña: «por él dados y deseos».

—Gallardo moro —le dice—
si adoras como refieres
y si como dices, amas,
dichosamente padeces.

¡Quién pudiera imaginar,   85
viendo tus golpes crueles,
cupiera un alma tan tierna
en pecho tan duro y fuerte!

Si eres del amor cautivo,
desde aquí puedes volverte,   90
que me pedirán por voto
lo que entendí que era suerte.

Y no quiero por rescate
que tu dama me presente
ni las alfombras más finas,   95
ni las granas más alegres.

Anda con Dios, sufre y ama,
y vivirás si lo hicieres,
con tal que cuando la veas,
hayas de volver a verme.   100

Apeóse del caballo
y el moro tras él desciende,
y por el suelo postrado
la boca a sus pies ofrece.

—Vivas mil años —le dice—   105
noble general valiente,
pues ganas más con librarme
que ganaste con prenderme.

Alá se quede contigo
y te dé victoria siempre   110
para que extiendas tu fama
con hechos tan excelentes[58].

---

[58] En la glosa que a este romance escribió Gaspar Buesso de Arnal (en
competencia con la de Calderón en *El Príncipe Constante,* jornada I, escena XI) el verso 100 dice: «pido que de mí te acuerdes». Sobre la presen-

XXVIII

ROMANCE RECOGIDO EN LA TRADICIÓN ORAL DE LOS JU-
DÍOS DEL NORTE DE MARRUECOS. TRATA DE LOS CELOS DE
JARIFA, MEZCLANDO ESTE ASUNTO CON EL DEL CAUTIVERIO
DE LA DAMA

¿Cuál son las dos hermanas
las que son de amor trocadas?
La una se llama Charifa,
la otra Fátima se llama.
Charifa, como es discreta,　　　　　　　　5
a Fátima preguntara:
—Fátima, la hermana mía,
pareces de amor trocada;
¿dónde tienes tus colores,
los que a ti nunca te faltan?　　　　　　　10
Solíamos ser hermanas
como dos cuerpos y un alma.

---

cia de este romance en la obra de Calderón, véase Edward M. Wilson y
Jack Sage, *Poesías líricas en las obras dramáticas de Calderón,* Londres,
Tamesis, 1964, págs. 52-53. El texto de la edición Vicuña recuerda más
el episodio del *Abencerraje,* mientras que en el de Buesso el caballero español aparece como más liberal pues le da la libertad sin que tenga que
volver. Véase Walter Pabst, «Gaspar Buesso de Arnal. Glossator Góngoras
und Korrektor Calderóns», en *Romanistiches Jahrbuch,* 13 (1962),
págs. 292-312. Ni este precioso romance se libró de la ironía; en *El mesón
del mundo* de Rodrigo Fernández de Ribera (1632) se ridiculiza esta pieza así: «Pusiéronse a templar los músicos... y habiéndose ajustado de instrumentos y escombrándose de fauces, comenzaron a desatar la voz y
soltáronseles los caballos de los vencidos Cenetes, aunque se hallaron tan
cansados de ir y venir a Orán con dos encima, que los dejaron a dos
trotes, porque enronquecieron ambos en la pareja, de que holgamos todos infinito» (ed. de Víctor Infantes, Madrid, Legasa, 1979, pág. 136).

—Ahora que me preguntas
lo que yo nunca negara,
asómate a esa ventana   15
y *apárate* a esa *yanela;*
    verás a Manuto Rais
con su gentileza y gala;
más es el brillo que deja
que el donaire que llevaba.   20
    Charifa, como es discreta,
asomóse a la ventana;
en la calle de Antequera
Charifa fue cautivada.
    Estaba doña Charifa   25
un lunes por la mañana
gozando del viento fresco
y viendo correr el agua.
    Miró a morito y a moro
tañer y volar el ámbar,   30
miró a morito a caballo
su cuerpo en sangre bañado.
    Tomara tinta y papel
y al punto escribió una carta:
«¿Qué me sirve ser hermosa   35
y de mi rey enamorada?
    En estas necesidades
tú me tienes cautivada.»
Con una dama en secreto
el billete le mandara.   40
    El Sidi tomó el billete,
la alegría no cesaba;
el Sidi abrió el billete,
el suspiro le ahogaba.
    —¿Dónde está mi *algacharía?*   45
¿dónde está mi rica *algacha?*
Si está viva u está muerta
o te tienen cautivada.

Si te cautivaron moros,
te meterán por esclava;   50
si te cautivaron cristianos,
te me robarán tu fama.
    Levántate, mi alcaide moro;
levántate de mañana.
Partiera para Antequera   55
el rescate de mi dama.
    Te regaré los caminos
de *achófor* y piedras finas
y saldré ya a recibirla
legua y media de Granada.   60
    Ellos en estas palabras
el Sidi por ahí pasara:
—De tus amores el Sidi,
tirárame de esta ventana.
    —Si te tiras, en mi vida,   65
te recibo en mis palmas.
Otro día en la mañana
las ricas bodas se armaran.

*Romances de Tetuán. Cancionero judío del
norte de Marruecos,* I. Recogidos y trans-
critos por Arcadio de Larrea Palacín, Madrid, 1952, pág. 73, XI de la serie, titulado
«Abindarráez»; recogido de la tradición
oral[59].

---

[59] El editor de estos romances publica al final de su obra un breve
vocabulario para aclarar algunos términos, y los que aquí están impresos
en cursiva se hallan definidos así: *aparar* = parar, asomarse; *yanela* = ventana; *algacharía* = joyero; *algacha* = alhaja; *achófor* = aljófar; *Sidi* es nuestro *Cid* = señor.

XXIX

OTRO ROMANCE RECOGIDO ENTRE LOS SEFARDÍES DE
MARRUECOS, EN EL QUE SE CUENTA LA GENEROSIDAD DE UN
ALCAIDE ANDALUZ QUE DEFIENDE LA HONRA DEL MARIDO
DE SU AMADA

    Donde hay damas, hay amor,
donde hay gentileza y gala,
en la noble Andalucía
un gran alcaide alcaidaba[60]:
alto es y gentilhombre,   5
hermoso y de buena gracia,
fortunoso en el dinero
y fortunoso en las armas,
fortunoso en los amores
y en los tratos que trataba.   10
Un trato trató de amor
con una hermosa dama;
la mandó muchos billetes,
muchos billetes y alhajas,
y todo se lo volvió,   15
que era casada y honrada.
Un día estando almorzando
con su marido a la mesa,
tanto bien dijera de él
que a ella se le asongraciara[61];   20

---

[60] Se trata, claro es, de Rodrigo de Narváez; *alcaidar*, 'cumplir la función de alcaide'.
[61] *asongraciar*, 'corrupción de *congraciar*'.

no se levantó de allí
mas que de amores tocada.
Tomara tinta y papel,
y al punto escribió una carta;
tomó dama de secreto   25
y el billete le mandara.
El conde estaba almorzando,
vido el billete en la halda:
—Si es hombre u es mujer,
muy bien le será su paga.   30
Quitóse paños de siempre[62],
[y] se puso los de la pascua;
cabalgó caballo blanco,
que el rey no le cabalgaba;
fuese paso tras de paso   35
hasta que llegó a la casa;
con un anillo muy fino
diera un golpe en la ventana.
La dama estaba en aviso,
no se tardó en su llegada.   40
—¿De ánde me vino este bien?[63].
¿De ánde me vino esa gracia?
—Ayer estando almorzando
con mi marido a la mesa,
tanto bien dijo de ti   45
que a mí te me asongraciaras.
—Si es tu marido, señora,
no le faltaré en su dama.

---

[62] Estos versos, según Bénichou, están contaminados de fórmulas de
romances viejos.
[63] Este verso y el siguiente ocupan los números 30 y 31 de la versión
que recoge Bénichou (o 15 contando el verso doble), y lo traslado aquí
pues Bénichou estima que este sería su lugar.

Paul Bénichou, *Romancero judeo-español de Marruecos,* Madrid, Castalia, 1968, págs. 267-268[64]. El mismo romance, en una versión más breve (36 octosílabos), fue recogido e interpretado bajo la dirección de Oro Anahory-Librowicz, como puede leerse en Francisco López Estrada, «Sobre el romance *Donde hay damas, hay amores...,* referido a un tradición antequerana», *Jábega,* Revista de la Diputación Provincial de Málaga, 63 (primer trimestre 1989), págs. 62-65. Esta versión fue recogida en Venezuela de una sefardí emigrada a América.

---

[64] El romance se titula en la colección de Bénichou: «Donde hay damas, hay amor (Generosidad)»; hago algunos ligeros acomodos en la grafía.

Apéndices

Apéndice I

HISTORIA DEL CABALLERO
DON MUÑO SANCHO DE HINOJOSA

1

[Don Muño Sancho cautiva al moro Aboadil cuando este iba a casarse con Allifra, y la boda se celebra en la casa del caballero cristiano, que luego da libertad a los esposos]

Era de mil y cien y VIII años, en tiempo de don Alfonso, emperador de España, hallamos en la corónica de los reyes que son pasados de este mundo al otro, cuáles fueron o qué batallas hicieron por sus manos; hallamos de un rico hombre que le dijeron Muño Sancho de Hinojosa, que era señor de setenta caballos en Castilla en tiempo del emperador sobredicho y en la era sobredicha, y porque fue muy bueno y de buen sentido y buen guerrero de sus armas contra moros y buen cazador de todos venados; hallamos que él andaba con su gente a correr monte y ganar algo, que hallaron un moro que había nombre Aboadil con una mora que había nombre Allifra, que eran de alto linaje y de gran guisa y muy ricos y aducían gran compaña, que iban a hacer sus bodas de un lugar a otro, e iban desarmados, porque eran paces, y hubiéronlos de prender ambos a dos, su compaña y todo cuanto algo llevaban.

Y pues fueron presos, preguntó el moro que quién era aquel que le mandara prender; dijéronle que don Muño Sancho de Hinojosa. Vino luego el moro ante él y díjole: «Muño Sancho, si tú eres hombre que has derecho en bien, ruégote y pídote de merced que no me mates ni me deshonres, mas mándame entrar, ca moro soy de buen lugar que iba hacer mis bodas con esta mora; y si lo haces, tú lo veas que tiempo vendrá que no te arrepentirás.»

Cuando esto oyó don Muño Sancho, plógole mucho y vio que era hombre de bien; y envió luego decir a doña Marí[a] Palacín, su mujer, como aducía aquel moro y la mora con sus compañas, y que los acogiese muy bien, que quería que hiciese ý [allí] sus bodas. Y doña María Palacín mandó aparejar muy bien todos sus palacios y recibiólos muy bien, y don Muño Sancho hizo llegar mucho pan y mucho vino y muchas carnes e hincar tablados y correr y lidiar toros y hacer muy grandes alegrías; así que duraron las bodas más que quince días. Y después mandó don Muño Sancho vestir toda su compaña muy bien; y envió el moro y la mora con toda su compaña, y salió mucho honradamente hasta su lugar.

* * *

2

[Don Muño Sancho muere heroicamente en combate contra los moros]

Y después de esto, a cabo de gran tiempo Muño Sancho hubo de haber batalla con un moro muy poderoso en los campos de Almenara, y lidiando los unos con los otros muy a firmes y matándose e hiriéndose del un cabo y del otro, hubieron de cortar el brazo diestro a don Muño Sancho. Y entonces dijéronle sus gentes que se saliese de [la lidia y] diésese a guarir. Dijo él: «No será así, que hasta hoy me dijeron Muño Sancho; de aquí adelante no quiero que me digan Muño Manco.» Entonces comenzó de esforzar y díjoles: «¡Herid, caballeros, y muramos hoy aquí por la fe de Nuestro Señor Jesucristo!» Y tornaron muy de recio en la batalla. Y ellos hiriendo y matando en los moros, y hubieron de acrecer y fueron tantos, que cogiéronlos en medio y mataron a don Muño Sancho y setenta de sus caballeros y de toda su gente.

* * *

3

[Don Muño y sus caballeros cumplen su peregrinación a Jerusalén después de su muerte]

[Y en aquel día que ellos finaron, hallamos que aparecieron las sus almas de don Muño Sancho y de sus caballeros y de toda su gente] en la Casa Santa de Jerusalén, que habían prometido en su vida de ir al sepulcro do yogo el Nuestro Señor Jesu Cristo; y un capellán (que era del Patriarca, era de acá, de España, que había conocido antes a don Muño Sancho) conocióle allá y díjole al Patriarca como era hombre muy honrado de España; y el Patriarca, con muy gran procesión honrada, saliólos a recibir y acogiólos muy bien y entraron en la Iglesia e hicieron su oración ante el sepulcro del Nuestro Señor Jesu Cristo. Hecha su oración, cuando los quisieron preguntar, no vieron ninguno de ellos. Maravilláronse todos qué podía ser; entendieron que eran almas santas, que vinieran allí por mandado de Dios Padre; y el Patriarca mandólo escribir el día que allá aparecieron y envió a saber a Castilla esto cómo fue; y sopieron de cómo murieran en aquel día.

* * *

4

[El moro Aboadil rescata el cuerpo de don Muño y lo lleva con gran honra a Santo Domingo para que lo sepulten]

Y en todo esto el moro a quien don Muño Sancho había honrado en su casa así como sabéis oído de suso, oyó decir de cómo don Muño Sancho de Hinojosa finara en batalla en los campos de Almenara, y vino con toda su compaña muy bien guisado allí do fue la batalla; y entre todos conoció en las armas a don Muño Sancho y descubrióle toda la cara e hízole desarmar y hallóle el brazo diestro cortado e hízolo muy bien mortajar y meter en xámed[1] bermejo muy preciado; y metiéronlo en buena ataúd cubierta de buen guadalmecí con clavos de plata. Y tomó el cuerpo con su compaña, a su costa y a su misión, y adújolo a su mujer. Y doña Marí[a] Palacín y el moro sobredicho adujeron aquí al monasterio de Santo Domingo de Silos a don Muño Sancho y enterráronle en el campo de la claustra en el derecho do yogo Santo Domingo primero, que era entonces la era de mil y noventa y VIII años. El moro hízole hacer muy honrada sepultura, así como es hoy en día, por la honra que le hizo a sus bodas.

Texto modernizado establecido sobre la transcripción de Fray Alfonso Andrés, «Notable manuscrito de los tres primeros hagiógrafos de Santo Domingo de Silos (siglo XIII-XIV»), *Boletín de la Real Academia Española,* 4 (1917), págs. 456-458.

---

[1] *xámed,* 'jamete', tela de seda rica, entretejida a veces con hilos de oro, por lo que aquí se dice que es muy apreciada.

Apéndice II

UN EJEMPLO DE LA MODA MORISCA EN LA VIDA CORTESANA

El viernes, día de la Natividad de San Juan Bautista, el Rey [Fernando] y el Archiduque [Felipe], acompañados de varios grandes señores y caballeros, encontráronse desde muy temprano a un cuarto de legua fuera de Toledo. El Archiduque y el Almirante [Fadrique Enríquez], y los caballerizos mayores del Rey y de monseñor, iban vestidos a la morisca, muy lujosamente. Llevaban albornoces de terciopelo carmesí y de terciopelo azul, todos bordados a la morisca. La parte baja de sus mangas era de seda carmesí, y además de eso grandes cimitarras, y también capas rojas, y sobre sus cabezas llevaban turbantes. Llegados aquellos al lugar, el duque de Béjar, con cerca de cuatrocientos jinetes, todos vestidos a la morisca, salieron de su emboscada con banderas desplegadas, y vinieron a hacer la escaramuza adonde estaban el Rey y el Archiduque, lanzando sus lanzas a la moda de Castilla. Y dijo el Rey a Monseñor

257

que de esta manera hacen los moros escaramuzas contra los cristianos.

> Antonio de Lalaing, señor de Montigny
> (1480-1540), *Primer viaje de Felipe el Her-*
> *moso a España en 1501,* en *Viajes de Extran-*
> *jeros por España y Portugal,* Madrid, Agui-
> lar, 1952, págs. 464-465 [2].

---

[2] Una abundante relación de fiestas de esta clase puede hallarse en el prólogo de Paula Blanchard Demouge a la edición citada de las *Guerras civiles...,* de Pérez de Hita, I, págs. LXIV-LXXXVI. Más información sobre este asunto, en María Soledad Carrasco Urgoiti, «Les Fêtes équestres dans *Les Guerres civiles de Grenade* de Pérez de Hita), *Les Fêtes de la Re-naissance III,* Études réunies et présentées par J. Jacquot et Elie Konigson, París, CNRS, 1975, págs. 299-312; y «La fiesta de moros y cristianos y la cuestión morisca en la España de los Austrias», *Actas de las Jornadas sobre Teatro Popular en España,* coordinadas por J. Álvarez Barrientos y A. Cea Gutiérrez, Madrid, CSIC, 1987, págs. 65-84.

Índice de primeros versos de los romances contenidos en la Antología[1]

---

[1] Se indican con asterisco los primeros versos de los romances que aparecen incompletos en el texto.